FORTIER, DENIS,
LÈVE-TOI ET MARCHE! : LE R
MIRACLE EXISTE ET IL EST G
2018.
37565029370300 PETA
W9-BOM-103

LÈVE-TOI ET MARCHE !

DU MÊME AUTEUR

Restez à l'affût des titres à paraître chez Trécarré en suivant Groupe Librex : facebook.com/groupelibrex

edtrecarre.com

Denis Fortier
B.SC. PHT, MOPPQ

Préface
Alain Vadeboncoeur

LÈVE-TOI ET MARCHE !

LE REMÈDE MIRACLE EXISTE ET IL EST GRATUIT

TRÉCARRÉ
Une société de Québecor Média

Catalogage avant publication de Bibliothèque et Archives nationales du Québec et Bibliothèque et Archives Canada

Fortier, Denis, 1968-, auteur

Lève-toi et marche! : le remède miracle existe et il est gratuit / Denis Fortier.
ISBN 978-2-89568-738-2
1. Marche (Exercice). 2. Comportement sédentaire - Aspect sanitaire. I. Titre..

RA781.65.F67 2018 613.7'176 C2017-942564-1

Édition: Marie-Eve Gélinas
Révision et correction: Sophie Sainte-Marie et Julie Lalancette
Couverture et mise en pages: Chantal Boyer
Illustrations: Cyril Doisneau
Photo de l'auteur: Hugo B. Lefort

Remerciements
Nous remercions la Société de développement des entreprises culturelles du Québec (SODEC) du soutien accordé à notre programme de publication.
Gouvernement du Québec – Programme de crédit d'impôt pour l'édition de livres – gestion SODEC.

Les Éditions du Trécarré
Groupe Librex inc.
Une société de Québecor
1055, boul. René-Lévesque Est
Bureau 300
Montréal (Québec) H2L 4S5
Tél.: 514 849-5259
Téléc.: 514 849-1388
www.edtrecarre.com

Dépôt légal – Bibliothèque et Archives nationales du Québec et Bibliothèque et Archives Canada, 2018

ISBN: 978-2-89568-738-2

Distribution au Canada
Messageries ADP inc.
2315, rue de la Province
Longueuil (Québec) J4G 1G4
Tél. : 450 640-1234
Sans frais : 1 800 771-3022
www.messageries-adp.com

Diffusion hors Canada
Interforum
Immeuble Paryseine
3, allée de la Seine
F-94854 Ivry-sur-Seine Cedex
Tél.: 33 (0)1 49 59 10 10
www.interforum.fr

Les exercices donnés dans ce livre doivent être faits avec l'accord du médecin ou du physiothérapeute.

Cet ouvrage a été composé en Celeste 14 pts et achevé d'imprimer en avril 2018 sur les presses de Marquis Imprimeur, Québec, Canada

Imprimé sur du Rolland Enviro 100 % postconsommation, fabriqué à partir de biogaz, traité sans chlore, certifié FSC et garant des forêts intactes.

SOMMAIRE

PRÉFACE

S'ASSEOIR, C'EST MOURIR UN PEU

Je termine parfois mes conférences en présentant à un public médusé ma propre détox, évidemment crédible parce que conçue par un médecin et offerte pour la modique somme de 29,95 $. Avec pour objectif d'aider le foie à bien travailler, ses composantes exclusives sont la CDH, le BPH_3 et la TOW – à réaliser simultanément pour les sujets les plus doués. Afin de joindre l'utile au saugrenu, je demande alors aux gens de se lever, pour vivre en symbiose ma détox inspirante. Sidérante, dirais-je même.

Autant vous en dévoiler dès maintenant le mystère. La CDH, contraction diaphragmatique holistique, propose d'éloigner et de rapprocher le foie du centre de la Terre, rien de moins, comme un bateau sur une vague ou un audacieux attaché au *Sling Shot* de la Ronde. Pour le BPH_3, balancement pédestre harmonique, il s'agit plutôt de bercer ce foie de droite à gauche – plus souvent à gauche j'espère –, comme un tit-enfant pour l'endormir, ce qui est fort poétique.

Enfin, la TOW, transe ophtalmique de Winchester, amène le tripeux à appliquer un mouvement aléatoire et simultané à ses globes oculaires afin de reproduire le REM (« *rapid eye movement* ») du sommeil. Pourquoi Winchester ? Fouillez-moi, je ne m'en souviens plus. Peu importe ce que vous en pensez, au moment précis où nous communions dans la détox, le bonheur suinte à ce point des yeux des participants qu'on jurerait qu'une partie de la Vérité vient de leur être révélée.

J'admets qu'à ce moment je suis habituellement perplexe, parce que je ne sais trop à quoi est due cette béatitude évidente. Ma première hypothèse, c'est que ma détox fonctionne, comme une foule de thérapies plus ou moins nébuleuses. La deuxième, c'est que les participants, sensibles à mes suggestions convaincantes, ressentent vraiment la joie que j'affirme leur inspirer – bref, je me prends alors pour Messmer. La troisième, ma préférée, c'est qu'ils réalisent à quel point se maintenir en santé est d'une simplicité extrême. Mais la dernière, la plus probable, c'est qu'ils aiment rigoler, ayant compris que je me suis gentiment payé leur tête durant ces trois minutes.

Certes, ma détox est une fumisterie. Mais la différence avec les vraies fumisteries (ou les fausses, je ne sais plus), c'est qu'elle ne s'abuse pas elle-même et ne cherche pas non plus à abuser les gens. Elle cherche avant tout à se moquer des vendeurs de détox qui prétendent qu'avec un radis noir bien placé ou un lavement au café moulu on peut améliorer le travail du foie. Néanmoins, il y a un fond de vérité dans l'humour approximatif que je pratique. Dans ce cas précis, c'est que les trois actions fondamentales de ma détox, soit respirer (CDH), marcher (BPH_3) et rêver (TOW), fonctionnent vraiment. Il faut l'admettre, qui respire, marche et rêve est généralement en meilleure santé que ceux et celles qui ne respirent pas, ne marchent pas et ne rêvent plus.

Je termine ainsi mes conférences pour démontrer que les choses les plus simples sont les plus efficaces, et que, parmi elles, la marche possède des vertus absolument singulières et solidement appuyées par la science. Ce qu'explique en long et en large, et surtout en profondeur, avec plus de crédibilité que moi, l'auteur du livre que vous tenez entre vos mains, le physiothérapeute et vulgarisateur Denis Fortier.

Dès que j'en ai aperçu le titre et que j'ai ouvert le manuscrit pour fureter, j'ai été conquis. Bien sûr, je savais déjà qu'il faut se lever et marcher pour vivre en santé ; d'ailleurs, Lazare lui-même s'est senti beaucoup pas mal mieux après s'être levé pour sortir de sa tombe. Et il partait d'encore plus creux que la position assise, étant couché définitivement, d'après mes sources.

Ce que nous raconte Denis Fortier, c'est que la position assise rapproche au contraire de la tombe, mais qu'il est toujours possible de repousser cette issue fatale en refusant de nous asseoir sur nos lauriers, surtout sur ceux de Jules César, qui n'était pas commode. Je ne l'avais jamais vu aussi clairement exprimé, en des mots simples et efficaces : la position assise, cette formulation moderne de la sédentarité qui nous donne l'impression d'être actifs tant que nous ne sommes pas allongés, est toxique. Davantage sous sa forme dite *passive*, comme je l'ai appris, lorsqu'on regarde la télévision par exemple. Et un peu moins si l'assis reste actif dans sa tête, comme je le suis en écrivant ces mots. Et ma blonde qui affirmait que mes heures passées devant l'ordinateur équivalaient à des heures à regarder la télé ! Je savais que j'avais raison.

Une mégadose quotidienne de sédentarité aussi passive qu'assise, c'est presque une garantie de problèmes à long terme pour la santé, notamment celle du cœur. Autant que d'autres facteurs de risque mieux connus, comme le diabète, l'hypertension, le tabagisme et l'obésité. Même le cancer est largement favorisé par cette inaction. Et notre cerveau ne s'en porte pas mieux. Bref, de quoi vous gâcher la vie de votre vivant. Troquez 30 minutes de chaise contre l'équivalent en exercice, et votre risque de mort prématurée s'abaisse. Comme par magie – sauf que ça n'a rien de magique.

Je l'avoue, le soir où j'ai tourné la dernière page de cet excellent ouvrage, je me suis levé d'un bond, j'ai enfilé mon short et je me suis lancé dans une vingtaine de minutes d'exercices variés, tout autant pour m'activer le cardio que pour bander (mes muscles, vous pensiez quoi ?) afin de libérer quelques-unes de ces prodigieuses myokines, dès que j'ai compris leur formidable rôle.

Contrairement aux vendeurs de rêves et de détox, Denis Fortier fournit des explications claires, fondées sur la science et appuyées par les plus solides études. Il utilise aussi les mots justes pour nous convaincre, page après page, non seulement que la position assise est toxique, mais que le repos de nos muscles nous rapproche du repos éternel. Et qu'il est aussi essentiel d'activer ses biceps que son cœur – qui est un muscle tout de même, je le rappelle. Il nous donne enfin une foule de trucs pour rendre le tout plus concret.

Il nous offre ses conseils de son point de vue expérimenté, mais en se plaçant à notre niveau – probablement assis – et sans se prendre pour qui que ce soit, sinon un sacré bon vulgarisateur. Et surtout quelqu'un qui était, au départ, plutôt non-sportif et dénué de coordination, et qui a appris au fil des ans et de ses études à mieux comprendre le rôle vital de l'exercice, fût-il occasionnel et bien ordinaire. C'est rassurant pour tout sportif mitigé à tendance paresseuse, comme je le suis, bien que, depuis dix ans, j'essaie de ralentir le cours du temps pour mieux vieillir en m'y adonnant plus régulièrement.

Ce qui est aussi remarquable, c'est que ce livre ne cherche à culpabiliser personne, démontrant patiemment, expliquant clairement et appuyant toutes ses propositions sur des faits. Bref, il persuade de la meilleure manière, sans moraliser. Pour ma part, c'est fait, je suis encore plus convaincu, et mieux équipé pour convaincre les autres. Et je sais même comment persévérer, grâce à la section « restez motivé » – le nerf de la guerre de cet ouvrage –, en appliquant ces principes de base pour continuer, plus souvent, plus longtemps et plus sûrement.

À la suite de cette lecture stimulante, la balle sera dans votre camp. Il s'agira de l'attraper une fois pour toutes, comme au ballon-chasseur du temps de notre enfance. Alors assoyez-vous et lisez ! Euh non, je veux dire : « Levez-vous et marchez ! » Voilà.

Alain Vadeboncoeur
Janvier 2018

PRÉAMBULE

Petit, j'étais pourri dans les sports. J'échappais toujours le ballon, ce qui faisait perdre mon équipe. Puisque mes muscles ne répondaient pas très bien aux commandes de mon cerveau, j'ai fini par les détester au point de vouloir les extraire de mon squelette, un à un, comme le dentiste arrache une dent. Triple médaillé olympique, je ne le serais jamais, même si aucun handicap n'expliquait mes incompétences musculaires. Celles-ci me faisaient d'ailleurs fuir comme la peste les circonstances qui les mettaient en évidence, en premier lieu les activités physiques le moindrement exigeantes. J'en voulais tellement à mes muscles, jamais je n'aurais cru que je vous ferais un jour l'éloge de ces organes contractiles en criant haut et fort qu'ils peuvent vous rendre heureux et vous sauver des maladies.

Mon rapport avec les muscles a changé au début de l'âge adulte. Ça n'a pas été facile, croyez-moi : j'ai dû me faire violence en ouvrant un cadavre avec des camarades. Les nuits précédant le grand jour ont été remplies de cauchemars et d'appréhension. Ce n'était pas un choix ; dans mes études en physiothérapie, les cours de dissection nous étaient imposés. Et heureusement puisque, grâce à eux, je suis tombé amoureux de celui que j'avais toujours eu en aversion : le muscle. C'est à ce moment que j'ai commencé à comprendre qu'il est certes une merveille d'ingénierie biomécanique, mais aussi un grand séducteur rempli de bon sang. Je les ai vues sous mon scalpel, ses innombrables ramifications, ses jonctions neuromusculaires, ses arborescences vasculaires et ses gouttelettes adipeuses qui giclaient à l'occasion des gerbes de formol, particulièrement pendant le découpage des fessiers. C'est pour cela que nous portions des lunettes protectrices, et je vous jure qu'elles n'étaient pas roses.

Le muscle est fabuleux, et je n'ai que des éloges pour lui depuis mes premiers cours de dissection. Je sais maintenant qu'il faut en prendre soin, le chérir, le protéger et, surtout, se lever pour préserver son intégrité et notre santé.

Par les temps qui courent, les muscles ont la vie dure. Jamais dans l'histoire de l'humanité nous ne les avons autant immobilisés par la position assise et, pourtant, nous les voulons plus gros, plus puissants, plus endurants, plus flexibles, découpés, gonflés et ultraperformants. Comme si le muscle était, dans son état naturel, un chantier inachevé. Et les publicitaires n'en finissent plus de renchérir avec leurs slogans: « 30 jours pour des fesses d'acier ! », « Des abdos parfaits en 8 minutes ! », « Transformez-vous avec notre programme infaillible ! »...

Il n'y a aucune raison de faire subir à vos muscles une telle pression sociale en leur demandant d'être des machines à performance et des coussins gonflables. Ils devraient plutôt être appréciés pour ce qu'ils sont et pour ce qu'ils accomplissent si brillamment, car ils demeurent l'un des plus beaux cadeaux qu'on vous ait donnés, même bien enveloppés.

Cela dit, votre corps n'est pas un meuble. Il a besoin que vous le mobilisiez chaque jour, et les contractions que cela entraîne s'avèrent un remède à plusieurs maux. Sinon la sédentarité risque d'empoisonner votre santé. Elle est entre autres associée au diabète, aux maladies cardiovasculaires et à la mort prématurée.

Tout ça pour dire que mes cours de dissection ont changé ma vie et probablement celle de mes collègues. Et j'espère que ce livre pourra changer la vôtre, un pas à la fois.

LE SYNDROME DE LA CHAISE

LE PANDA ET LE JERROLD

J'ai passé une partie de mon enfance assis devant la télévision, atteint du syndrome de la chaise, et mon aversion pour mes muscles y était probablement pour quelque chose. Aussi sportif qu'un panda géant, je trouvais plus agréable, tôt le matin, de regarder cinq dessins animés diffusés simultanément sur des chaînes différentes. Nous étions au début des années 1970. La télécommande n'existait pas. Pour éviter de me lever chaque fois pour changer de chaîne, je m'assoyais par terre, à un bras de distance de la télévision.

Nos voisins, les Nadeau, étaient beaucoup plus choyés que nous. Ils s'étaient procuré un appareil révolutionnaire : un Jerrold. Il s'agissait d'une petite boîte rectangulaire reliée à leur télévision par un fil, qui leur permettait de changer de poste sans quitter le confort de leur fauteuil. J'étais jaloux et surtout attristé devant le refus catégorique de mes parents de nous procurer ledit Jerrold.

« Denis, sois patient, ils vont le perfectionner », répondaient-ils à mes demandes insistantes.

Mes parents étaient visionnaires sans le savoir, et j'applaudis maintenant leur sagesse. Mais, à l'époque, je ne parvenais pas à m'expliquer pourquoi nous acceptions de nous lever pour changer de chaîne. Le progrès venait d'arriver par la grande porte, et nous nous en privions.

LE PROGRÈS, VRAIMENT ?

ZÉRO CONTRACTION

Bien avant la mise en marché du Jerrold, les experts en marketing avaient compris que l'immobilité a un immense pouvoir d'attraction sur l'être humain. Depuis, ils s'appliquent à vous vendre un nombre incalculable d'objets dont la seule raison d'être est de diminuer vos efforts musculaires, comme si ceux-ci étaient quelque chose de ringard dont la modernité devait vous libérer.

« Zéro contraction » est le leitmotiv à la mode ; même le mot « paresse » a bonne presse et s'infiltre dans une marque de commerce comme La-Z-Boy (*lazy*).

L'immobilité et l'innovation technologique sont des concepts convergents qui chambardent vos vies, au travail comme à la maison. C'est notamment le cas des travailleurs manuels, qui voient encore aujourd'hui plusieurs de leurs tâches se sédentariser en raison de la mécanisation ou de

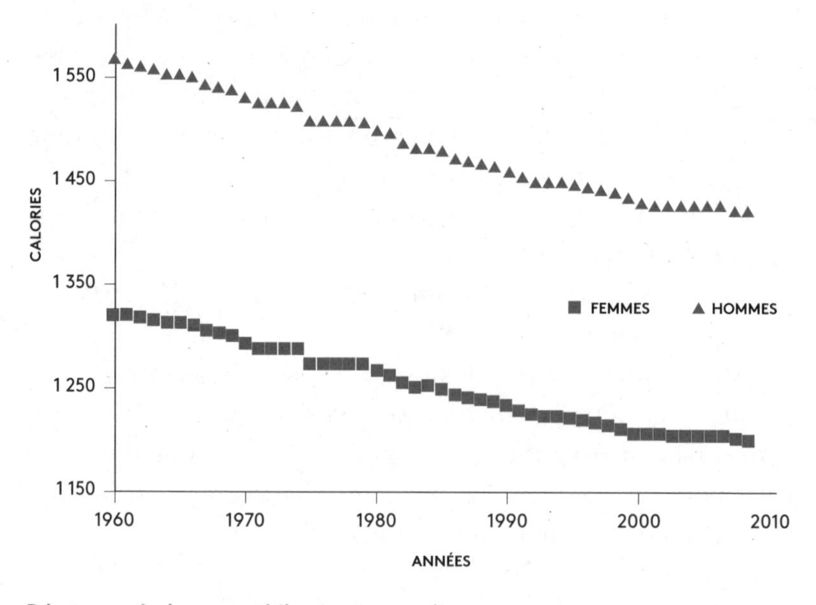

Dépense calorique quotidienne au travail

l'informatisation. Durant les cinquante dernières années, la proportion d'emplois physiquement exigeants du secteur privé est passée de près de 50 % à 20 %. Ce changement radical a entraîné des répercussions sur la condition physique des travailleurs et une diminution significative de leur dépense énergétique. L'équipe de Timothy Church, du regroupement de l'Université d'État de Louisiane, l'a évaluée à au moins 100 calories par jour. Imaginez l'effet, échelonné sur toute une vie!

Le principe du « je-te-vends-un-produit-pour-que-tu-bouges-moins » s'applique aussi à nos modes de déplacement – pensons à la bicyclette électrique ou à la voiture autonome – ainsi qu'aux activités domestiques. Celles-ci sont de plus en plus assurées par des machines ou par notre téléphone intelligent, à partir duquel on peut pratiquement tout faire en demeurant assis. Personne n'est contre le progrès, moi non plus, mais n'y a-t-il pas des limites à mettre nos muscles à *off*?

Durant les cinquante dernières années, la proportion d'emplois physiquement exigeants est passée de 50 % à 20 %, ce qui représente une diminution de la dépense énergétique des travailleurs d'au moins 100 calories par jour.

LA SÉDENTARITÉ, C'EST QUOI AU JUSTE ?

UN MONDE SOUS LES 1,5 MET

Le MET est l'unité de mesure qui équivaut à vos besoins en énergie lorsque vous êtes au repos. Marcher lentement exige légèrement plus que 2 MET, les rapports sexuels en demandent de 4 à 6 et un sprint de 100 mètres peut en réclamer plus de 15.

Pour les experts en activité physique, vous êtes sédentaire lorsque vous êtes assis ou couché, en période d'éveil, et que vous dépensez une quantité d'énergie égale ou inférieure à 1,5 MET. La sédentarité correspond donc à des activités ou à des comportements qui ne sont pas physiquement exigeants. Pour le dire autrement : la grande majorité de vos comportements sédentaires se résument à la position assise.

La grande majorité de vos comportements sédentaires se résument à la position assise.

Tout n'est cependant pas si simple dans le monde du moins de 1,5 MET, et des précisions doivent être apportées.

EXCLURE LES PÉRIODES DE RÉCUPÉRATION

Les périodes de récupération sont indispensables à votre santé physique et mentale. Elles ne doivent pas être confondues avec la sédentarité. Par exemple, faire une sieste ou s'asseoir quelques minutes après un entraînement ne représentent pas des comportements sédentaires, pour autant qu'ils ne se prolongent pas.

LE HAMSTER QUI FAIT LA DIFFÉRENCE

Il existe deux types de sédentarité : active et passive. La sédentarité passive correspond à une activité ou à un comportement sédentaire durant lequel le hamster dans votre tête dort paisiblement. Vous ne réfléchissez pas, votre degré de concentration est bas et votre corps est pratiquement immobile. Quant à la sédentarité active, elle est plutôt associée à des degrés de stimulation cognitive élevés et à des mouvements de faible amplitude reproduits pendant la manipulation d'objets ou lors d'interactions avec une personne ou un ordinateur.

La sédentarité active, comme le temps passé à lire, à jouer à des jeux de table, à écrire ou à socialiser, causerait moins de dommages à votre santé que de regarder la télévision, soit la forme de sédentarité passive la plus courante et la plus étudiée. L'équipe d'Esther García-Esquinas, de l'Université autonome de Madrid, a d'ailleurs démontré que la sédentarité passive est associée à des limitations fonctionnelles chez les aînés, et ce, sans égard au temps qu'ils consacrent aux activités physiques. Aucune association n'a toutefois été observée entre les limitations fonctionnelles et la sédentarité active.

	ACTIVITÉ	MET
TEMPS DE RÉCUPÉRATION	Dormir (moins de 9 heures par jour)	0,9
	Être assis après une activité physique	1
COMPORTEMENTS SÉDENTAIRES	Être assis	1
	Regarder la télévision	1
	Écrire en position assise	1,5
ACTIVITÉS DE FAIBLE INTENSITÉ	Marche, de lente à normale	2 à 3
	Vélo stationnaire léger	3
	Activités ménagères	3
	Yoga	3
ACTIVITÉS D'INTENSITÉ MODÉRÉE	Marche de santé	3 à 4
	Exercices au sol	3 à 4
	Golf en voiturette électrique	3,5
	Vélo modéré	4 à 5
ACTIVITÉS D'INTENSITÉ SOUTENUE	Danse aérobique	6 à 7
	Jogging léger	7
	Pompes et redressements assis	8
	Saut à la corde	10

Dépense énergétique selon l'activité

DEUX CONCEPTS DISTINCTS

NUANCES ESSENTIELLES

La sédentarité et l'activité physique sont des concepts distincts, l'un n'étant pas le contraire de l'autre. Aussi, il est impossible de deviner votre niveau d'activité physique en s'appuyant uniquement sur la durée de vos comportements sédentaires, et vice versa. C'est comme avoir les cheveux blonds et manger du pain brun : l'un n'est pas lié à l'autre. Ces précisions sont essentielles à saisir si vous souhaitez diminuer les effets de la sédentarité sur votre santé.

La distinction entre la sédentarité et l'activité physique a été soulevée à maintes reprises par différentes études scientifiques. Par exemple, une équipe de George Whitfield de l'École de santé publique de l'Université du Texas a démontré qu'un coureur récréatif pouvait passer jusqu'à 10 heures par jour en position assise, bien qu'il consacre plusieurs heures à son sport de prédilection. Même l'entraînement d'un marathonien n'aurait pas d'effets sur ses comportements sédentaires.

UNE POSITION PAR DÉFAUT

UNE KALACHNIKOV ?

La vague de sédentarité nous a tous emportés sur son passage. Année après année, des records historiques sont pulvérisés. Par exemple, le temps moyen consacré à la sédentarité est passé de 26 heures par semaine en 1965 à 38 heures en 2009. La position assise est devenue la position par défaut, car il n'y a rien de plus simple que de s'asseoir. Et on peut répéter la chose aussi souvent qu'on le souhaite, puisqu'elle demande si peu d'énergie. Tout le monde le fait, fais-le donc !

Exemple 1 : Julie, avocate, cycliste et nageuse assidue. Julie est sans aucun doute une grande sportive. Cependant, elle passe ses journées assise à son bureau, ce qui la rend à la fois sédentaire et active.

Exemple 2 : Philippe, guide touristique et ornithologue amateur. Philippe ne raffole ni des sports ni de la télévision. La plupart de ses activités requièrent plus de 1,5 MET. Il n'est donc pas sédentaire, bien qu'il soit inactif en ne pratiquant pas régulièrement au moins une activité physique d'intensité modérée ou soutenue.

Mais pourquoi donc sommes-nous assis aussi souvent ?

La chaise n'est pas armée d'une kalachnikov ; personne ne s'assoit sous la contrainte. Il n'en demeure pas moins qu'on se comporte comme si c'était le cas en raison d'une norme sociale dominante qu'il est difficile de transgresser. Même les excès de la position assise sont normalisés. Par exemple, on accepte facilement qu'une personne reste sur sa chaise du matin au soir, presque sans interruption, mais on s'inquiète pour ceux qui passent quelques heures de plus que d'habitude au lit.

Cette normalisation peut sembler anodine, mais l'hégémonie de la position assise entraîne des conséquences sur vos muscles, votre condition physique et vos rapports sociaux. Et tout cela parce que la position assise s'est infiltrée graduellement dans nos habitudes collectives à une époque où la science ne connaissait pas les effets néfastes de la sédentarité. Un scénario semblable s'est d'ailleurs amorcé au même moment concernant la cigarette, alors qu'elle jouissait encore d'un capital de sympathie.

EXERCICE À RECULER DANS LE TEMPS

Imaginez-vous en 1942. Vous fumez la cigarette sans vous en inquiéter. Vos alvéoles pulmonaires sont encore en pleine lune de miel avec cette nouveauté *nicotinée* qu'on offre même aux soldats pendant les guerres en guise de baume sur leurs souffrances. Tout le monde fume, et c'est très bien comme ça. La cigarette s'est infiltrée dans toutes les classes de la société, elle donne du style aux vedettes de cinéma et elle est si bien intégrée aux habitudes de vie que personne ne s'offusque de voir des publicités mettant en scène des médecins et de jeunes enfants qui aiment la cigarette et vantent les mérites de telle ou telle marque.

ATTACHEZ VOS TUQUES

N'eût été le manque de connaissances concernant les effets néfastes du tabac sur la santé, la cigarette n'aurait jamais bénéficié d'un niveau aussi élevé d'acceptabilité. Par chance, les avancées scientifiques ont permis de remettre les pendules à l'heure, et cette époque où les médecins et les jeunes enfants encensaient la cigarette est révolue. Désormais, personne ne met en doute que l'inhalation de sa fumée cause le cancer, qu'elle est un facteur de risque de plusieurs autres maladies et qu'elle bousille les poumons et la capacité cardiorespiratoire. Il n'était pas trop tôt pour mettre fin à notre lune de miel avec la cigarette. Le temps est maintenant venu de faire la même chose avec la position assise. Et attachez vos tuques, car il y aura un combat à mener dans les moindres recoins de vos habitudes, au travail comme à la maison, ainsi que dans vos façons de vous déplacer.

ÊTES-VOUS VRAIMENT SÉDENTAIRE ?

Voici un test pour mesurer votre degré de sédentarité. Il tient compte de vos comportements sédentaires durant la dernière semaine, dans toutes les sphères d'activité : au travail, dans les loisirs, lors de vos déplacements et dans la vie de tous les jours. Additionnez toutes les heures pour connaître votre résultat. Ne comptabilisez pas les périodes de récupération, par exemple lorsque vous vous assoyez moins de 30 minutes après avoir pratiqué une activité physique exigeante.

1. Dans la dernière semaine, à combien estimez-vous le nombre moyen d'heures passées chaque jour en position assise...
> durant les repas ? ____________
> au travail ? ____________
> en voiture ? ____________
> en transport en commun ? ____________
> durant vos loisirs, excluant la télévision ? ____________
> devant la télévision ? ____________

2. Dans la dernière semaine, à combien estimez-vous le nombre moyen d'heures passées chaque jour en position couchée sans dormir, excluant les rapports sexuels ? ____________

3. Dans la dernière semaine, à combien estimez-vous le nombre moyen d'heures de sommeil excédant 9 heures chaque jour ?
____

4. Dans la dernière semaine, à combien estimez-vous le nombre quotidien d'heures passées debout sans bouger à votre travail (comme être debout à une caisse enregistreuse) ? Ne comptez que les périodes de plus de 1 heure. ____________

INTERPRÉTATION

Moins de 5 heures : vous n'êtes pas sédentaire.
De 5 à 7 heures : vous êtes moyennement sédentaire.
De 8 à 10 heures : vous êtes très sédentaire.
Plus de 10 heures : vous êtes hypersédentaire.

NOUS SOMMES TOUS ACCROS

UNE OASIS

Notre fidélité à la position assise bat tous les records. Si nous l'aimons tant, c'est qu'elle nous procure une sensation de bien-être instantané. En effet, nous sommes tous accros à notre sofa lorsqu'on s'y laisse tomber le soir venu. Ce moment agréable nous repose, nous grise, et il apaise parfois même nos muscles qui ont eu la vie dure pendant que nous étions au boulot. Et puisque notre corps se souvient, chacun de ces bienfaits est sujet à anticipation.

La position assise est une oasis où la sédentarité prend racine, avec tous ses excès et ses conséquences sur votre santé et votre système musculosquelettique. Par exemple, une partie de votre force et de votre capacité cardiorespiratoire peut être graduellement altérée parce que vous passez un temps fou sur votre chaise. Puis, sans que vous vous en rendiez compte, vous vous mettez à éviter des activités pour lesquelles vous aviez autrefois suffisamment de force ou d'endurance. Cette situation instaure un cercle vicieux, au point qu'il devient difficile d'inverser la tendance.

Le corps répond si bien aux règles d'économie d'énergie qu'il arrive à s'adapter à sa propre dégénérescence, même lorsque celle-ci pourrait être évitée.

En effet, le corps répond si bien aux règles d'économie d'énergie qu'il arrive à s'adapter à sa propre dégénérescence, même lorsque celle-ci pourrait être évitée. La sédentarité se prend parfois pour un gourou qui prône l'absence de mouvement et le boycottage des contractions musculaires. Cela vous porte à vous ménager, ce qui n'est pas toujours une bonne chose lorsque vous le faites durant des années.

ÉVITEZ LE DÉCONDITIONNEMENT

COMME LES ASTRONAUTES

Si j'étais une cellule qui prolifère dans le corps d'un astronaute, j'exigerais une réaffectation dans les plus brefs délais vers un hôte plus terre à terre. Le cosmos n'est pas de tout repos pour les tissus vivants, qu'il s'agisse d'un quadriceps, d'un fémur ou d'un disque intervertébral.

Pendant un séjour dans l'espace, le corps d'un astronaute subit des changements déconcertants. Sa taille augmente de quelques centimètres, son risque d'avoir une hernie discale est multiplié par quatre, ses os se fragilisent et ses muscles perdent jusqu'à 20 % de leur volume. L'absence de force entraîne également une conséquence majeure : le déconditionnement. Or, celui-ci ne concerne pas que les escapades en orbite. Vous pouvez en être affecté, sur terre, si vous diminuez votre niveau d'activité en deçà d'un seuil minimal.

DES CHANGEMENTS QUE VOUS NE SOUHAITEZ PAS

Le déconditionnement peut survenir localement, notamment si vous portez un plâtre, ou de façon plus générale, par exemple si vous êtes alité durant des jours. Il se manifeste aussi lorsque votre style de vie vous incite à demeurer assis de manière prolongée et à délaisser les activités physiques d'intensité modérée et soutenue. Le déconditionnement s'installe toutefois si lentement qu'il passe la plupart du temps inaperçu. J'admire ceux et celles qui y sont attentifs et le combattent ouvertement. Ces personnes le reconnaissent par une diminution graduelle de leurs capacités cardiorespiratoires ainsi que par une perte de force et d'endurance, celles-ci pouvant être si marquées qu'elles engendrent des répercussions dans les activités quotidiennes.

Une séance d'observation au microscope vous permettrait de constater que le déconditionnement s'accompagne de changements dans la structure des muscles, comme une augmentation de tissus fibreux et une infiltration de gras.

Les conditions de santé suivantes vous prédisposent à la longue liste des modifications musculosquelettiques associées à l'inactivité et aux excès de la position assise :

> l'obésité ;
> l'avancée en âge ;
> une maladie chronique ;
> la prise de certains médicaments comme les corticostéroïdes.

Les parties du corps les plus à risque de déconditionnement sont les cuisses, les fesses, les abdominaux et les petits muscles du dos. La meilleure manière de les protéger de ce problème consiste à pratiquer une activité physique durant quelques minutes par jour, même si l'intensité est basse. C'est très peu, me direz-vous, mais ça fonctionne. Il s'agit d'une façon de faire que les physiothérapeutes utilisent régulièrement avec leurs patients alités. Et, après tout, la position assise prolongée entraîne des conséquences comparables aux effets d'une hospitalisation.

TA GRAND-MÈRE COURT PLUS VITE QUE TOI

Il m'arrive régulièrement de traiter des aînés dont les performances physiques supplantent celles de leurs enfants et même de leurs petits-enfants. On s'étonne toujours devant un tel exploit. Pourtant, ces personnes n'ont rien de surhumain : un de leurs plus grands mérites est d'avoir su déjouer la sédentarité en maintenant un niveau d'activité physique élevé, même sur le tard, sans obligatoirement être de super athlètes.

On confond couramment les effets de la sédentarité avec ceux du vieillissement, à tort. À force d'être assis de façon prolongée, les capacités physiques peuvent s'affaiblir, et on attribue trop souvent cette situation à l'avancée en âge, comme le fait d'avoir de la difficulté à courir, à se relever d'une chaise ou à monter un escalier.

Il est vrai que certains effets du vieillissement sont inévitables et irréversibles, comme la perte de force maximale, qui explique qu'un champion olympique ne peut pas soutenir indéfiniment ses performances de haut niveau. L'avancée en âge entraîne beaucoup d'autres conséquences sur le système musculosquelettique, mais ces changements ne sont toutefois pas aussi catastrophiques qu'on voudrait nous le faire croire quant aux capacités fonctionnelles, soit celles que vous utilisez dans la vie de tous les jours ou lors de vos activités récréatives. Par exemple, il est possible d'augmenter votre force et votre endurance à tout âge, et c'est une des raisons pour lesquelles même les nonagénaires peuvent réaliser des prouesses impressionnantes.

On confond couramment les effets de la sédentarité avec ceux du vieillissement, à tort.

Si votre grand-mère court plus vite que vous, il y a fort à parier que c'est parce qu'elle a évité le piège de la sédentarité en maintenant un niveau d'activité physique adéquat, ce qui n'est malheureusement pas le cas de tous les aînés ; chez les personnes de plus de 70 ans, la durée consacrée à la position assise prolongée peut atteindre jusqu'à 80 % du temps éveillé.

CAUSÉE PAR UN ABUS DE SUBSTANCES

Les phénomènes de dépendance sont davantage associés à l'alcool ou aux drogues qu'à un objet en apparence inoffensif comme la chaise ; aux dernières nouvelles, celle-ci ne s'injecte pas, ne se boit pas et ne se fume pas. Toutefois, vous pouvez bel et bien développer une dépendance à la position assise, comme cela survient pour d'autres types de comportements, qu'il s'agisse du jeu ou des relations amoureuses.

Bien sûr, vous ne vous levez pas un matin aux prises avec une dépendance à la position assise. C'est plus subtil que cela. Vos changements de comportements déjouent habilement votre cerveau, qui n'y voit que du feu. Vos activités se modifient alors insidieusement afin de vous maintenir en position assise de plus en plus souvent, et cela accroît d'autant plus votre risque de déconditionnement.

Votre dépendance est d'abord et avant tout influencée par une dépendance collective attribuable à l'organisation de la société. Tout ne se résume pas à une simple question de volonté personnelle de changer vos habitudes. Elle est aussi renforcée par des facteurs personnels, comme l'endroit où vous habitez, le type d'emploi que vous occupez et votre état de santé. Par exemple, si vous travaillez devant un ordinateur ou si vous ne pouvez pas marcher longtemps en raison d'une fracture mal guérie, vous devrez faire preuve de créativité pour réduire votre temps passé assis.

Les excès de comportements sédentaires vous prédisposent à une cascade de problèmes de santé qui s'accompagnent souvent d'un cocktail de médicaments et d'effets secondaires.

Poussée à l'extrême, la sédentarité est toxique. Des doses massives sont associées à plusieurs déséquilibres physiques, psychologiques et sociaux. Une personne peut notamment abandonner graduellement des activités sociales auxquelles elle s'intéressait auparavant parce qu'elle n'a plus la force, l'endurance ou même le désir d'y participer. Les excès de comportements sédentaires vous prédisposent à une cascade de problèmes de santé qui s'accompagnent souvent d'un cocktail de médicaments et d'effets secondaires. L'obésité, l'état de fragilité, une mobilité réduite et le vieillissement accentuent la toxicité de la sédentarité et contribuent à l'instauration de la spirale négative des maladies chroniques.

ÊTES-VOUS DÉPENDANT DE LA POSITION ASSISE ?

Parmi les 9 affirmations ci-dessous, cochez celles qui représentent votre réalité. Additionnez ensuite les points correspondants.

- ☐ Vous adoptez la position assise durant 7 heures par jour ou plus. (1 point)
- ☐ Rétrospectivement, vous remarquez que vous êtes de plus en plus souvent assis. (1 point)
- ☐ Vous ressentez de moins en moins la sensation de bien-être que vous procurait autrefois la position assise, qu'il s'agisse d'un soulagement de la fatigue, des tensions musculaires ou de la douleur. (1 point)
- ☐ Vous vous désintéressez des activités qui se pratiquent debout et dont l'intensité est modérée ou soutenue, comme les sports ou l'utilisation de l'escalier. (2 points)
- ☐ Après quelques minutes de marche, vous cherchez un endroit pour vous asseoir. Vous planifiez même vos sorties en conséquence. (2 points)
- ☐ Vous préférez passer la majorité de votre temps en position assise, bien que vous connaissiez les effets dommageables de cette situation. (2 points)
- ☐ Tout ce qui se fait debout vous déplaît, même les activités de faible intensité comme l'entretien de la maison. (3 points)
- ☐ Vous vous sentez obligé d'être assis pour des raisons physiques, comme une perte de mobilité, de la douleur ou parce que vous avez le souffle court. (4 points)
- ☐ Vous vous sentez obligé d'être assis pour des raisons psychologiques, comme une perte de motivation à bouger, un état dépressif ou une piètre image corporelle. (4 points)

Total : /20

INTERPRÉTATION

Moins de 7 : vous n'êtes pas dépendant de la position assise.
De 7 à 10 : vous êtes dépendant de la position assise.
Plus de 10 : vous êtes intoxiqué par la position assise.

LIBÉREZ-VOUS DES DICTATEURS

TROIS OBJETS

La révolution industrielle a métamorphosé notre façon de vivre et nos rapports avec les objets. L'omniprésence de la position assise dans votre vie s'explique principalement par trois d'entre eux : la chaise, l'écran et la voiture. Ces dictateurs de l'immobilité vous forcent à vous asseoir, comme s'ils étaient investis d'un pouvoir absolu sur vos comportements. Modifier votre rapport avec au moins l'un d'entre eux contribuera à réduire votre degré de sédentarité.

LA CHAISE

PREMIÈRE POSITION

Pouvez-vous nommer une journée durant laquelle vous n'avez pas utilisé de chaise ? Mission impossible. Vous vous en servez d'ailleurs probablement beaucoup plus souvent que votre crayon ou votre téléphone intelligent. Pourtant, il n'y a rien de plus banal que cette pièce de mobilier constituée de quatre pattes, d'un dossier et d'une assise. La chaise détient néanmoins la première position des accessoires le plus souvent employés dans la vie courante et elle détrône désormais le lit au palmarès du nombre d'heures d'utilisation.

Comment se fait-il que cet objet se soit incrusté à ce point dans nos vies ? Certainement parce que le caractère utilitaire de la chaise est encore aujourd'hui inégalé, mais peut-être aussi

parce que celle-ci a réussi au fil des décennies à préserver son pouvoir de séduction. En effet, le XXe siècle a été témoin d'une véritable révolution dans l'esthétisme de la chaise, lui permettant de prendre rapidement du galon en raison de son élégance et de son originalité. Les designers partout dans le monde, comme Philippe Starck et Florence Knoll, pour ne nommer que ceux-là, y ont apporté leur contribution et l'ont rendue plus belle et plus confortable. Cette avalanche de créativité lui a d'ailleurs permis d'occuper le marché de la consommation de luxe et d'être reconnue comme une œuvre d'art à part entière qui garnit désormais les collections des plus grands musées du monde.

UN OUTIL DE TRAVAIL

Les réflexions sur les effets dommageables de la chaise ne datent pas d'hier. En 1884, l'orthopédiste allemand Franz Staffel a publié ses observations au sujet des problèmes à la colonne vertébrale qu'entraîne la chaise. Le Dr Staffel proposait, déjà à cette époque, certaines normes d'utilisation en ce qui concerne la posture et l'alignement articulaire. Or, malgré une préoccupation grandissante de la communauté scientifique quant aux conséquences de la position assise, la proportion d'emplois sédentaires a plus que doublé depuis les années 1960, dans la plus grande indifférence collective.

On ne peut cependant pas accabler l'évolution de la chaise de tous les reproches. Elle a heureusement profité de plusieurs transformations qui limitent ses ravages sur vos articulations et votre santé. Les modèles ergonomiques sont de bons exemples, avec leurs adaptations qui tiennent compte de votre morphologie et des fonctions pour lesquelles vous l'employez. Mais ce type de chaise vous fait peut-être parfois oublier qu'elle paralyse votre musculature et vous confine à l'immobilité.

3 SOLUTIONS POUR DIMINUER LES EFFETS DE LA CHAISE AU TRAVAIL

1. Les postes assis-debout

Les postes de travail assis-debout sont une solution de plus en plus accessible qui donne un répit à vos articulations surmenées par les positions prolongées. Ils présentent comme avantages une amélioration du confort général, une meilleure gestion de la douleur chronique et une diminution significative du temps passé en position assise en raison de leur facilité d'utilisation. Chez les personnes obèses ou en surpoids, ils augmentent légèrement la dépense énergétique et ont des effets bénéfiques sur la pression artérielle.

Contrairement à certaines appréhensions, ces postes ne causeraient pas de diminution de productivité et n'altéreraient pas le degré d'attention ou de concentration.

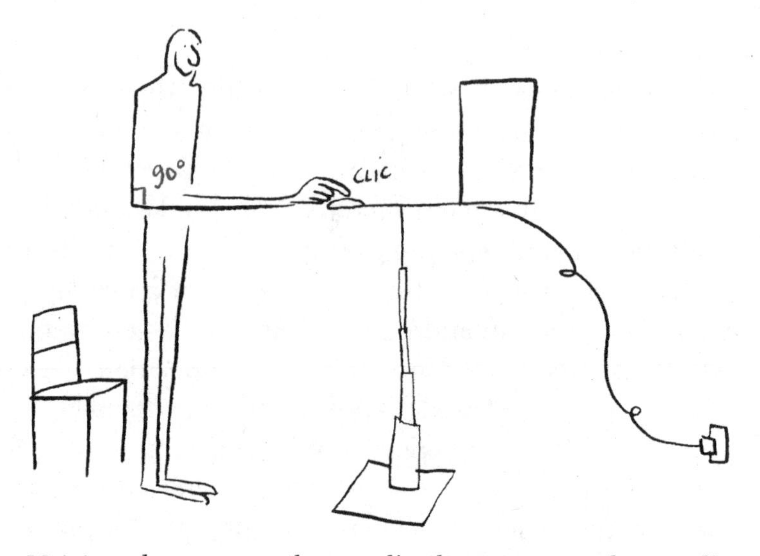

Voici quelques conseils pour l'utilisation quotidienne d'un poste assis-debout.

- Prenez soin d'adapter votre surface de travail afin de respecter les règles d'ergonomie. Par exemple, si vous utilisez un clavier d'ordinateur ou une souris, votre poignet et votre avant-bras doivent former une ligne relativement droite, que vous soyez assis ou debout.
- Changez de position avant qu'apparaissent des signes de fatigue ou d'inconfort.
- Si la position assise ne vous occasionne pas de fatigue ou de douleur, essayez des séquences de 30 minutes assis, suivies de 15 minutes debout.
- Si la position assise est pour vous une source de fatigue, essayez des séquences de 20 minutes assis, suivies de 30 minutes debout.
- Souvenez-vous qu'il n'y a pas de normes universelles quant à la durée idéale des séquences assis-debout. Expérimentez plusieurs options pour trouver celles qui vous conviennent.
- En l'absence d'un poste de travail assis-debout, n'hésitez pas à organiser un deuxième poste de travail à partir duquel vous pourrez réaliser certaines tâches en position debout.

2. Le ballon suisse

Le ballon suisse permet une plus grande stimulation de vos muscles posturaux qu'une chaise traditionnelle en raison des petits déplacements du ballon qui déclenchent des contractions de vos abdominaux et des muscles de votre dos. Le ballon suisse ne convient cependant pas à tous. Dépourvu de dossier et d'ajustements, il peut en outre causer de l'inconfort au bas du dos, au bassin et aux muscles fessiers.

Si vous souhaitez utiliser le ballon suisse comme solution de rechange à la chaise de bureau, voici quelques conseils à mettre en pratique.

> Votre ballon devrait être suffisamment gonflé pour que vous évitiez de vous y enfoncer.
> Limitez l'utilisation du ballon à quelques heures par jour ou utilisez-le en alternance avec une chaise traditionnelle.
> Assurez-vous de maintenir le creux au bas de votre dos et que vos épaules demeurent alignées avec votre bassin.
> Cessez l'utilisation du ballon si elle produit une douleur ou un inconfort.

3. La chaise à appui-genoux

Je recommande régulièrement la chaise à appui-genoux à mes patients dont la posture assise est trop relâchée. D'origine scandinave, elle est constituée d'une assise installée à 20° d'inclinaison, sans dossier ni appui-bras. Elle a le principal

avantage de préserver les courbures du dos, d'améliorer l'alignement postural, de stimuler les abdominaux et de transférer le poids du corps sur les genoux et les jambes. Un désavantage de cette chaise réside dans le fait que vos pieds ne sont pas nécessairement en contact avec le sol, ce qui est moins pratique lors des déplacements avec les roulettes.

Les adeptes de la chaise à appui-genoux l'utilisent généralement en alternance avec une chaise traditionnelle. Les personnes qui ont des troubles circulatoires aux membres inférieurs ne devraient pas l'utiliser.

L'ÉCRAN

COMPLÈTEMENT GAGA

Si on veut faire plaisir à un enfant, on lui donne un écran, et le voilà occupé pendant plusieurs minutes. Cela en dit long sur l'évolution de nos dépendances collectives et sur leurs effets sur notre immobilité. Après la roue, l'écran est l'objet qui a le plus révolutionné notre façon de bouger (ou de ne pas bouger).

> En moyenne, nous consacrons à la télévision autant de temps qu'à notre emploi principal, soit plus de 33 heures par semaine.

L'arrivée des premiers écrans remonte au XIXe siècle, alors que voyaient le jour les écrans cathodiques, ces pionniers des ordinateurs, jeux vidéo, tablettes numériques, téléphones intelligents et autres émetteurs d'images. Depuis, le temps passé devant les écrans ne cesse d'augmenter, et si cela est toujours le cas, c'est désormais la faute de l'ordinateur, car l'utilisation de la télévision plafonne depuis quelques années. Elle est d'ailleurs sur le point d'être supplantée par l'ordinateur chez les 20 à 24 ans. Malgré le changement de comportement de ce groupe d'âge, il n'en demeure pas moins que, collectivement, nous sommes toujours aussi gagas de la télévision, et c'est encore aujourd'hui ce type d'écran qui nous cloue le plus à notre chaise en dehors des heures de travail.

L'ampleur de notre amour pour la petite boîte à images est sidérante. En moyenne, nous lui consacrons autant de temps qu'à notre emploi principal, soit plus de 33 heures par semaine. Cette situation est encore plus marquée chez les 50 à 64 ans, qui la regardent plus de 40 heures par semaine. Et le sommet de la courbe est atteint chez les 65 ans et plus, qui s'assoient devant la télévision au-delà de 54 heures par semaine, soit l'équivalent d'un travail à temps complet doublé d'un autre à temps partiel !

Il y a quelques décennies, les futurologues nous promettaient une société des loisirs dans laquelle nous devions pouvoir voyager, voir des amis et enfin pratiquer des activités pour lesquelles le temps nous manquait. Or, nous travaillons toujours autant, sinon plus, et la majorité de nos loisirs est dédiée à la sédentarité passive, qui consiste principalement à nous asseoir devant un écran, que ce soit celui de la télé, de l'ordinateur ou d'un appareil portable, pour regarder du contenu vidéo.

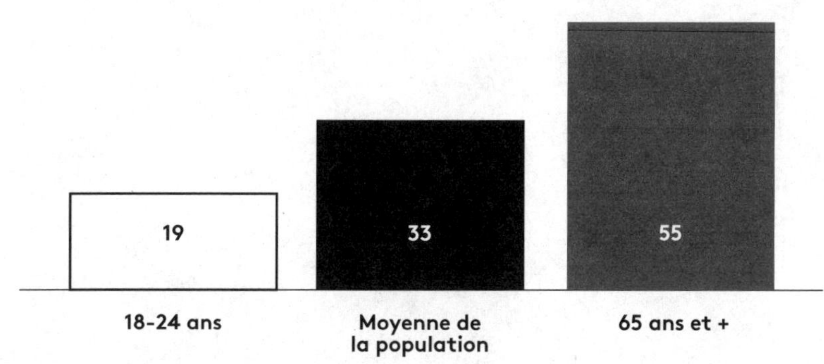

Nombre d'heures d'écoute de télévision par semaine

LES EFFETS NÉFASTES DE LA TÉLÉVISION SUR VOTRE SANTÉ

LE DIABÈTE

> La télévision peut jusqu'à doubler votre risque de diabète de type 2.

L'OBÉSITÉ

> Les personnes qui regardent la télévision plus de 40 heures par semaine voient leur risque d'obésité augmenter jusqu'à 94 %.

LA FORCE MUSCULAIRE

> Les personnes qui regardent moins la télévision auraient une plus grande force musculaire aux membres inférieurs.

LES MALADIES CARDIOVASCULAIRES

> Regarder la télévision plus de 4 heures par jour serait associé à une augmentation des risques de maladies cardiovasculaires. Chaque heure additionnelle augmenterait de 18 % le risque de mourir d'une maladie cardiovasculaire.

> Chez les personnes qui font régulièrement de l'activité physique, celles qui regardent la télévision plus de 7 heures par jour ont deux fois plus de risque de mourir de maladies cardiovasculaires que celles qui regardent la télévision 1 heure par jour.

LE CANCER

- Le temps passé devant la télévision augmenterait le risque de cancer du sein chez les femmes ménopausées.
- Une méta-analyse réalisée auprès de 68 936 personnes a démontré que, pour chaque augmentation de 2 heures d'écoute de télévision, le risque de cancer du côlon serait accru de 8 %, et celui du cancer de l'endomètre, de 10 %.
- Les femmes qui écoutent la télévision au moins 21 heures par semaine et qui sont peu actives physiquement auraient un risque de cancer colorectal de 41 % plus élevé que celles qui passent moins de 7 heures par semaine devant la télévision. Le risque demeure semblable même en tenant compte de l'obésité et du diabète.

LA MORTALITÉ, TOUTES CAUSES CONFONDUES

- Les personnes qui regardent la télévision au moins 3 heures quotidiennement ont un risque de mort prématurée doublé comparativement à celles qui écoutent la télévision moins de 1 heure par jour, et ce, peu importe leur niveau d'activité physique durant leurs loisirs.
- Chaque tranche de 2 heures passées devant la télévision augmente de 13 % le risque de mort prématurée, toutes causes confondues.

RIEN D'UN BEAU PROGRAMME

Le temps passé devant la télévision n'a rien d'un beau programme pour votre santé. Il vous permet de vous détendre et de vous divertir, certes, mais des doses massives sont associées à des maladies graves et à un risque de mort prématurée plus élevé. Le temps que vous consacrez à la télévision est même statistiquement plus dommageable que celui que vous passez devant l'ordinateur. L'hypothèse avancée pour l'expliquer s'appuie sur le fait que la télévision serait plus souvent associée à de mauvaises habitudes alimentaires, comme le grignotage et la malbouffe. En effet, on ne regarde généralement pas le Super Bowl en buvant un verre d'eau et en mangeant des bâtonnets de carotte... Avant de souffrir de *télévisionite* aiguë, vous devriez inclure dans vos habitudes davantage de divertissements actifs, d'autant plus qu'il y a des solutions à portée de main.

L'équipe de Katrien Wijndaele, de l'Université de Cambridge, s'est penchée sur l'une de ces solutions en menant une étude auprès de 423 659 personnes dont les comportements ont été observés durant plus de sept ans. Ces chercheurs du Royaume-Uni ont pu démontrer que troquer 30 minutes passées devant un écran contre une durée équivalente d'activité physique serait associé à une diminution potentielle du risque de mort prématurée de près de 15 %. Et les aficionados des exercices intenses, comme le CrossFit ou l'ultramarathon, ne sont pas les seuls à tirer profit d'une telle substitution. Même des activités de faible intensité comme les tâches ménagères et la marche procureraient des bienfaits non négligeables.

Le temps que vous consacrez à la télévision est statistiquement plus dommageable que celui que vous passez devant l'ordinateur.

LA VOITURE

DEUX DÉPENDANCES

La voiture dans laquelle prenait place Alex s'est écrasée contre le parapet de l'autoroute le 12 février 2018. L'accident a été sans merci. Alex est décédé sous la force de l'impact et n'aura pas de seconde chance, pas de séjour aux soins intensifs et encore moins de séances de rééducation en physiothérapie.

Le nombre d'accidents mortels causés par l'utilisation d'un téléphone intelligent au volant ne cesse d'augmenter. Et malgré les lois mises en vigueur depuis déjà plusieurs années, le nombre de personnes reconnues coupables d'une infraction liée à l'utilisation d'un cellulaire au volant est en progression. Pourtant, la plupart des pays industrialisés ont mis en place des campagnes de sensibilisation sur le danger des textos au volant. Ces efforts louables donnent des résultats décevants.

Mais pourquoi éprouve-t-on tant de mal à ne plus utiliser son téléphone au volant ?

Et si le problème ne venait pas seulement du téléphone, mais également de la voiture, ou plutôt de la perception que nous en avons ?

PRÈS DE 300 HEURES

Votre voiture n'est plus un simple mode de déplacement. Elle est maintenant une excroissance de votre lieu de résidence, au point que nous en oublions qu'elle comporte des risques pour notre sécurité et celle des autres. Vous pouvez désormais déjeuner au volant, vous raser ou vous maquiller, répondre à vos courriels et à vos textos, sortir une boisson d'un tiroir réfrigéré ou vous détendre comme si vous étiez dans votre salon en écoutant votre musique préférée.

La voiture, on l'aime un peu, beaucoup, passionnément et, surtout, de plus en plus. Le nombre de véhicules de promenade s'est accru de 35 % au Québec de 2001 à 2016, et le Canada se classe parmi les douze pays ayant le plus de véhicules par habitant.

C'est incontestable : la voiture occupe une place importante dans nos vies, et son utilisation quotidienne contribue significativement à nos comportements sédentaires.

Les statistiques quant à son utilisation sont renversantes. Si vous êtes dans la moyenne des conducteurs, vous passez près de 300 heures par année derrière votre volant, soit l'équivalent de 8 semaines de vacances, incluant 106 jours de votre vie à chercher une place de stationnement ! Cette utilisation effrénée de la voiture s'explique principalement par les déplacements effectués pour se rendre au travail. Dans la plupart des provinces canadiennes, environ 80 % des travailleurs se rendaient au boulot en voiture en 2006 selon des données comptabilisées par Statistique Canada. La solution quant à la diminution de notre dépendance à la voiture réside donc en grande partie dans le changement de cette habitude.

UN MODE DE TRANSPORT IDÉAL ?

L'utilisation de la voiture a des conséquences sur la prévalence de plusieurs maladies, notamment en raison de ses émissions de gaz à effet de serre, mais aussi de l'immobilité qu'elle nous impose. Selon des chercheurs australiens, les personnes qui passent plus d'une heure par jour dans leur voiture ont un plus grand risque de syndrome métabolique, un problème de santé qui accroît significativement le risque de nombreuses maladies chroniques, dont le diabète et les maladies cardiaques. Pour une personne de taille moyenne, passer autant de temps en voiture correspond environ à un surplus de poids de 2,3 kg, à une augmentation du tour de taille de 1,5 cm et à un taux de glucose sanguin plus élevé, peu importe l'alimentation et le niveau d'activité physique.

Vous passez près de 300 heures par année derrière votre volant, soit l'équivalent de 8 semaines de vacances, incluant 106 jours de votre vie à chercher une place de stationnement !

Passer plus de temps en voiture augmente aussi votre risque de mourir plus jeune. Une étude réalisée par Kerem Shuval et son équipe auprès de 3 141 participants dont les dossiers médicaux ont été analysés sur une période d'environ vingt-huit ans a démontré que passer plus de 10 heures par semaine dans sa voiture accroissait le risque de mort prématurée de 27 %, notamment en raison d'une augmentation de la pression artérielle.

UNE SOLUTION : LE TRANSPORT ACTIF

En 2011, seulement 12 % des Canadiens empruntaient les transports publics pour aller au travail, 5,7 % privilégiaient la marche, et un maigre 1,3 % s'y rendait à vélo. Le transport actif demeure sous-utilisé, bien que plusieurs chercheurs soient d'avis qu'il constitue la manière la plus réaliste de contrer l'omniprésence de la voiture. Cette façon de vous déplacer sollicite votre propre énergie, comme le vélo, la marche et les transports publics, à condition que vous vous rendiez à l'arrêt de bus ou à la station de train sans utiliser de véhicule motorisé.

Aller travailler à pied ou à vélo est associé à une diminution de 27 % du risque de maladie cardiovasculaire et à une diminution de 36 % du risque d'en mourir.

De nombreux bienfaits sont attribuables au transport actif, notamment en ce qui concerne la condition physique et l'état de santé. Aller travailler à pied ou à vélo est associé à une diminution de 27 % du risque de maladie cardiovasculaire et à une diminution de 36 % du risque d'en mourir. Selon une étude réalisée en Suède par Christer Johansson et son équipe, pour une ville d'une population semblable à celle de Montréal, convaincre un peu plus de 100 000 personnes de laisser tomber leur voiture pour aller au travail à pied ou à vélo permettrait de récupérer l'équivalent de 449 années de vie annuellement.

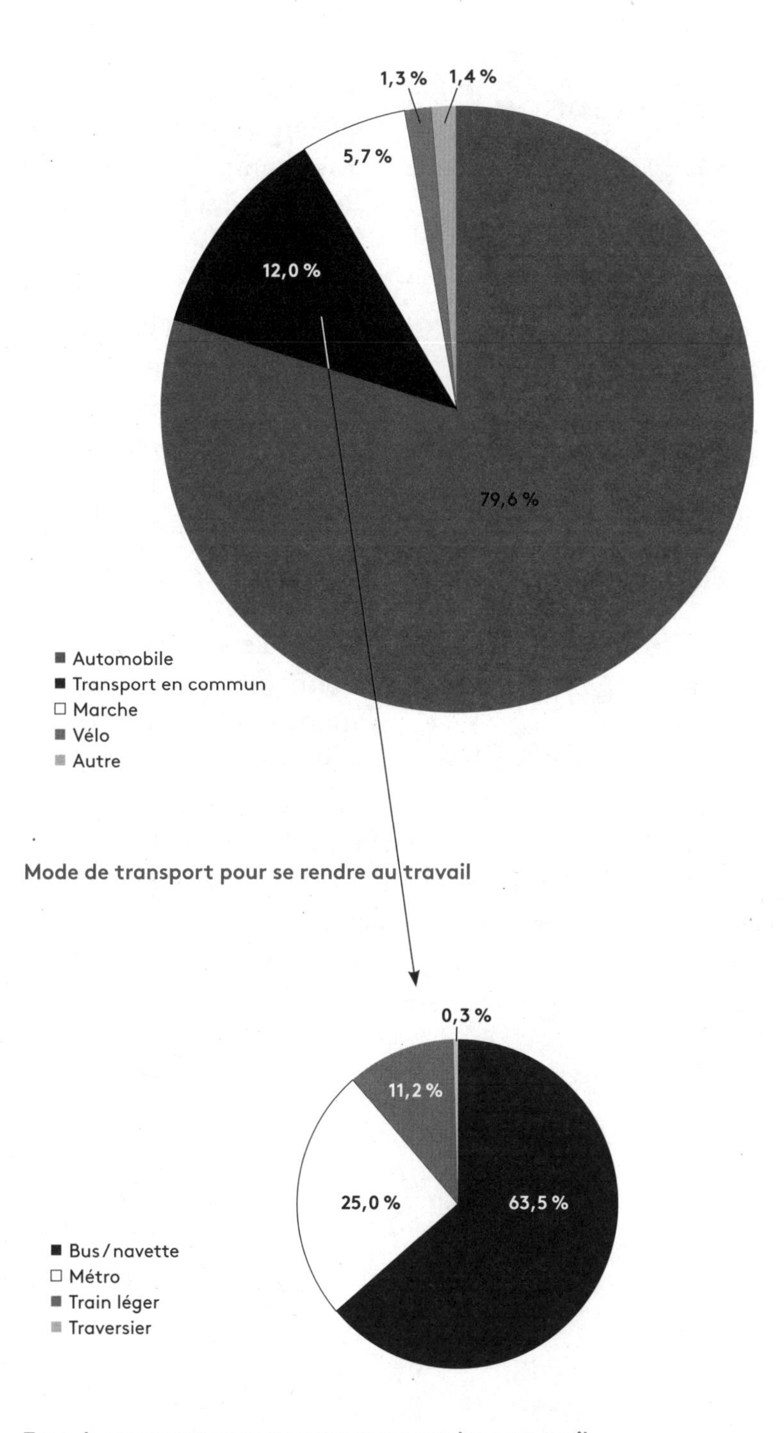

Mode de transport pour se rendre au travail

Type de transport en commun pour se rendre au travail

Les personnes qui passent plus d'une heure par jour dans leur voiture ont un plus grand risque de syndrome métabolique, un problème de santé qui accroît significativement le risque de nombreuses maladies chroniques.

Les enfants aussi bénéficient du transport actif. Par exemple, le fait qu'ils se rendent à l'école à pied améliore leur condition physique, bien sûr parce qu'ils marchent davantage, mais aussi en raison d'une plus grande utilisation des installations récréatives du quartier.

Les incitatifs pour encourager les transports actifs ne sont pas des coups d'épée dans l'eau ; ils donnent des résultats aux quatre coins du monde, notamment à New York. Au cours des dernières années, les déplacements à pied et à vélo ont été facilités en réduisant l'accès aux automobiles à des endroits stratégiques. Cela a en outre permis d'augmenter le nombre de piétons qui passent à Times Square de 350000 à 480000 par jour, sans accroître la congestion routière.

L'ÉLOGE DU MUSCLE

DÉROULEZ LE TAPIS ROUGE

Vous avez peut-être l'impression que les six cents muscles de votre corps ne sont utiles que pour mobiliser les différentes pièces de votre squelette. Détrompez-vous. Ils sont investis d'une mission beaucoup plus complexe que de plier votre coude ou de vous sortir du lit chaque matin. Les recherches scientifiques des dernières décennies ont permis de découvrir toute l'importance de la musculature dans l'équilibre des processus physiologiques, dans la prévention et le traitement des maladies ainsi que dans la préservation de la qualité de vie.

Déroulez maintenant le tapis rouge pour entamer l'éloge de vos muscles, qui le méritent bien ! À eux seuls, ils représentent plus du tiers de votre poids, ce qui fait d'eux votre organe le plus gros et le plus actif. Le sang joue un rôle crucial à cet égard. Il parcourt quotidiennement un nombre incalculable de kilomètres à l'intérieur de votre corps. Ce flot continu est indispensable pour alimenter, entre autres, les millions de réactions biochimiques qui se déroulent chaque seconde aux quatre coins de vos biceps, carré des lombes, risorius et autres poésies musculaires.

Vos muscles sont des laboratoires, des prestidigitateurs, des rénovateurs, des producteurs de médicaments et des *pushers* de drogues douces parfaitement légales. Ils ne demandent qu'à être utilisés, bien qu'ils exigent, comme le bon vin, un brin de patience pour atteindre toute leur finesse et leur maturité. Et lorsque je dis « utilisés », je ne parle pas uniquement des contractions qui surviennent durant la pratique sportive de haut niveau, mais aussi de celles que vous déclenchez chaque jour lorsque vous marchez ou montez l'escalier, par exemple.

UN EXERCICE

Serrez le poing le plus fort possible. Tenez la contraction pendant 30 secondes (et n'y allez surtout pas de main morte), puis relâchez. Ensuite, prenez quelques secondes pour observer les changements du rythme de votre respiration.

Vous ne souhaitiez contracter que les muscles de la main, n'est-ce pas ? Vous y êtes parvenu sans problème, j'en suis persuadé, mais je parie que vous avez fait beaucoup plus que ce que l'exercice vous demandait. Quand vous avez serré le poing le plus fort possible, votre cerveau a également ordonné l'activation de votre biceps, de votre triceps ainsi que des muscles qui entourent votre omoplate. Vos nerfs ont probablement aussi bloqué votre respiration et fait en sorte que vous avanciez la tête et sollicitiez automatiquement vos trapèzes pour lever les épaules. C'est normal, tout le monde le fait pour se donner un certain élan. Puis, après avoir relâché le poing, vous avez peut-être pris conscience que le rythme de votre respiration s'était accru.

Vos muscles représentent plus du tiers de votre poids, ce qui fait d'eux votre organe le plus gros et le plus actif.

Dire que toutes ces activités musculaires et cardiorespiratoires se sont déclenchées en serrant le poing ! Voilà qui démontre que votre musculature ne fait jamais les choses à moitié en interpellant constamment tous les systèmes de votre corps, dont vos nerfs, votre cœur et vos vaisseaux sanguins.

DÉCOUVREZ VOS CELLULES RÉVOLUTIONNAIRES

SAUVER DES VIES

Je n'oublierai jamais mon expérience au CHU Sainte-Justine de Montréal auprès des enfants atteints de cancer. Je les voyais plusieurs fois par semaine pour les aider, entre autres, à reprendre de la force, de l'endurance et à se défendre contre les effets secondaires de la chimiothérapie. On n'y pense pas, mais les muscles et les nerfs sont souvent affaiblis par le combat contre un ennemi aussi destructeur. J'éprouvais beaucoup d'admiration pour mes petits patients et leurs familles, mais aussi pour mes collègues en raison de leurs exploits thérapeutiques. L'un d'eux concernait la greffe de cellules souches qui permet de survivre à des cancers résistants aux approches traditionnelles. Or, ces cellules révolutionnaires ne tombent pas du ciel ; elles doivent être minutieusement récupérées dans la moelle osseuse d'un donneur ou dans le sang de cordon ombilical. Ces traitements sauvent des vies, et pour mes patients, c'était ça, leur remède miracle.

Avant l'intervention, ils étaient généralement très nerveux et ils avaient besoin d'être rassurés, ce que les infirmières et les médecins faisaient admirablement bien. On leur expliquait que les cellules souches sont des cellules indifférenciées à partir desquelles se développent toutes les autres cellules et que, une fois la greffe terminée, elles pourraient donner naissance à de nouvelles cellules qui participeraient à la guérison.

Quelques années de découvertes scientifiques plus tard, j'ai réalisé qu'il m'était possible, moi aussi, de tabler sur les pouvoirs thérapeutiques des cellules souches, du moins sur une forme précise qui se trouve dans les muscles : les cellules satellites. Et n'allez pas vous mettre dans la tête l'idée de les compter : il y en a jusqu'à un million dans chaque gramme de vos muscles. La beauté de la chose : vous y avez un accès privilégié. Aucune greffe ni hospitalisation n'est requise !

COMME DES ABEILLES

Les scientifiques savent que les cellules satellites dorment dans des niches, à l'intérieur des muscles, comme si elles hibernaient dans un environnement contrôlé. Or, ces niches ne sont pas des cavernes indestructibles et elles peuvent être altérées par les aléas de la vie, comme l'exercice, une blessure, certaines maladies ou un changement dans vos activités ou dans la façon de les réaliser. Et c'est là que l'histoire des cellules satellites devient captivante. Une fois leurs niches abîmées, elles mettent fin à leur période de dormance et s'activent comme des abeilles dans une ruche.

- Elles se divisent en deux afin de maintenir leur nombre et même de l'accroître.
- Elles contribuent à la réparation de vos fibres musculaires endommagées par une blessure.
- Elles participent à la construction de nouvelles parties de vos muscles lorsque celles-ci ne peuvent pas être réparées.
- Elles peuvent augmenter le volume de chacun de vos muscles.
- Elles offrent à vos muscles une cure de jouvence en rajeunissant la population de cellules satellites.

ACTIVEZ VOS CELLULES SATELLITES

Sans vos cellules satellites, vos muscles perdraient leur capacité d'adaptation, et c'est votre vie entière qui serait chamboulée par des scénarios que vous ne voulez pas imaginer. Vous ne pourriez plus guérir de vos blessures, votre entraînement ne donnerait aucun résultat, et vos muscles d'adolescent vous colleraient à la peau, incapables de prendre le moindre millimètre d'expansion durant votre croissance.

Lorsque vous faites de la randonnée, montez l'escalier ou suez votre vie dans une salle d'entraînement, vous activez vos cellules satellites et les encouragez à se reproduire. Et je vous jure que cela en vaut la peine, car elles constituent des

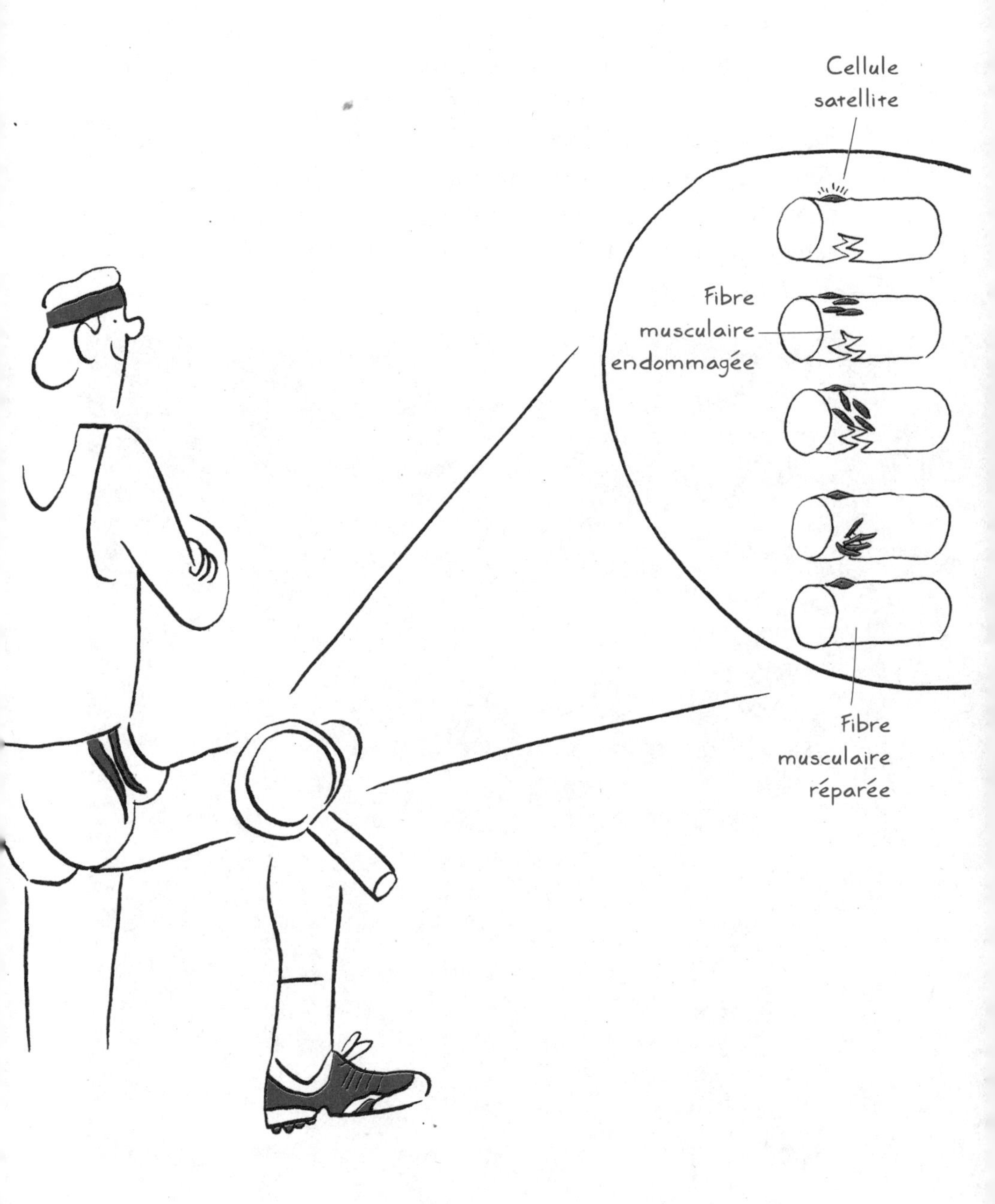
Cellule satellite
Fibre musculaire endommagée
Fibre musculaire réparée

brigades qui veilleront discrètement sur vos muscles jusqu'à votre mort, du moins si vous en prenez soin. Or, la sédentarité vous prive du plein potentiel de vos cellules satellites en les maintenant en dormance et en les empêchant de se multiplier. Souvenez-vous qu'une population réduite diminue la capacité de vos muscles à se régénérer et à se réparer. Et si vos cellules satellites pouvaient parler, elles vous diraient : « Ça va faire, on veut bouger ! »

6 SECRETS POUR SÉDUIRE VOS CELLULES SATELLITES

> Elles aiment les aventures d'un soir avec l'exercice, même de courte durée. Une seule séance favoriserait leur activation et le maintien de leur population.
> Elles atteignent l'apothéose lorsque l'exercice est répété semaine après semaine et que son intensité est élevée.
> Elles ont un petit faible pour les exercices de résistance, comme les poids et haltères ou les exercices qui utilisent le poids de votre corps (*push-up*, squats, etc.).
> Elles raffolent de l'excentricité, dans le sens musculaire du terme. Les exercices excentriques sont des mouvements qui stimulent la contraction pendant que vos muscles s'allongent, comme lorsque vous descendez l'escalier ou dépliez le coude.
> Elles aiment le sang... Leurs activités seraient liées à la présence de capillaires à l'intérieur de vos muscles. À cet égard, les exercices aérobiques leur seraient bénéfiques.
> Elles sont friandes de sexe ou, du moins, des hormones sexuelles. Plusieurs autres substances corporelles agiraient d'ailleurs positivement sur vos cellules satellites, comme les hormones de croissance.

VOS MITOCHONDRIES, UNE INDISPENSABLE SOURCE D'ÉNERGIE

LES TRAVAILLEUSES DE L'OMBRE

La mitochondrie n'est pas une adepte du *selfie*. D'une discrétion absolue, elle vaque à ses occupations en silence au quatrième sous-sol de votre microcosme cellulaire.

Les travailleurs de l'ombre demeurent trop souvent méconnus, et c'est le cas de vos mitochondries, qui jouent pourtant un rôle vital dans votre existence. Si les vôtres se portaient mal, je vous garantis que vous vous mettriez à les *googler* frénétiquement. C'est ce qu'ont fait mes patients souffrant de maladies mitochondriales, comme l'ataxie de Friedreich. Assis dans leur fauteuil roulant, plusieurs d'entre eux pourraient maintenant donner des conférences captivantes à ce sujet. Pour vous aider à mettre un visage sur la mitochondrie, la voici dans l'une de ses rares apparitions publiques.

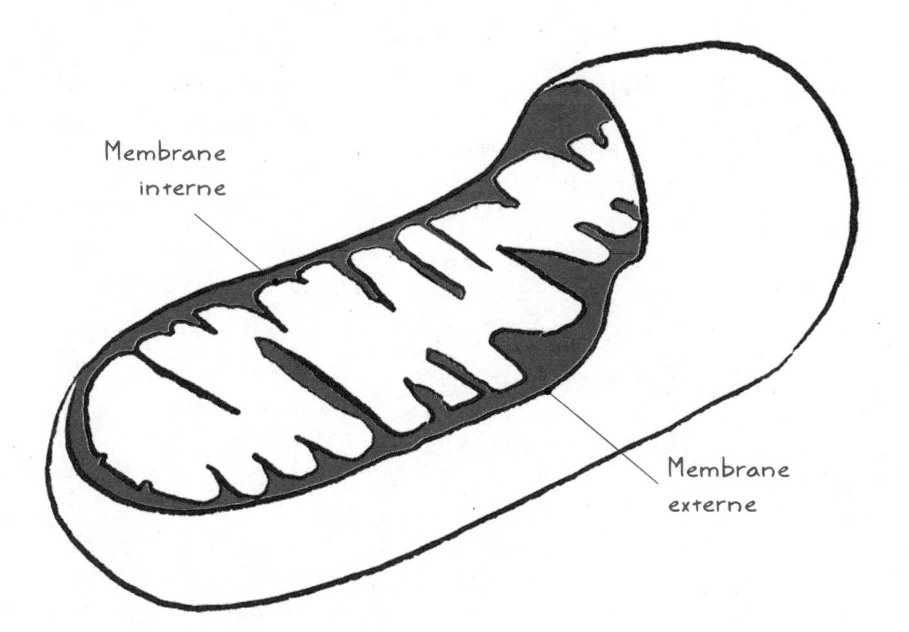

DES FONCTIONS CRUCIALES

Les spermatozoïdes et les fibres musculaires requièrent de grandes quantités d'énergie, les uns pour nager jusqu'à destination et les autres pour se contracter. Leur secret ? Les mitochondries. Celles-ci représenteraient d'ailleurs de 4 % à 7 % du volume de vos muscles.

La première fonction des mitochondries consiste à produire l'énergie pour toutes vos cellules, vingt-quatre heures sur vingt-quatre. Pour y arriver, ces génératrices microscopiques carburent notamment au glucose, qui est converti par un long processus en monnaie d'échange pour la contraction musculaire : l'ATP ou adénosine triphosphate.

Ne serait-ce que pour cette prouesse, vos mitochondries seraient admissibles à une nomination au prochain gala des Producteurs d'énergie. Mais ces vaillantes ouvrières ne se contentent pas d'un exploit ; elles en réussissent un second, simultanément, en faisant respirer vos cellules grâce à l'oxygène qu'elles utilisent comme oxydant.

Détruisons ici un grand mythe : vos poumons ne vous font pas respirer, du moins pas complètement. La respiration se termine à l'intérieur de vos cellules, au sein même de vos mitochondries. Ce sont elles qui accueillent et profitent du plein potentiel de l'oxygène en raison du processus de conversion du glucose en ATP, de laquelle vos muscles sont les heureux bénéficiaires.

La première fonction des mitochondries consiste à produire l'énergie pour toutes vos cellules, vingt-quatre heures sur vingt-quatre.

POUMONS
SORTIE
CO_2
CO_2
CO_2
CELLULES
DIRECTION
MITOCHONDRIES
OXYGÈNE
OXYGÈNE
OXYGÈNE

LE VO_2 MAX

Mon voisin Julien est comme un poisson dans l'eau. Tous les jours de l'été, je le vois nager dans la piscine en tournant ponctuellement la tête pour arracher à l'air ambiant une quantité suffisante d'oxygène destinée à ses poumons. Pendant son entraînement, Julien ne pense jamais à ses mitochondries. Pourtant, chaque nouvelle ration d'oxygène leur est destinée, ce qui permet à Julien de réaliser quelques mouvements de bras et battements de pieds supplémentaires jusqu'à la prochaine respiration. Mon voisin m'a récemment confié qu'il souhaite améliorer son VO_2 max, soit la quantité maximale d'oxygène qu'il peut utiliser en une minute. Le VO_2 max est un indicateur important de la condition physique et de la capacité cardiorespiratoire.

Julien ne le sait pas, mais son VO_2 max est directement lié aux deux premières fonctions de ses mitochondries, soit générer de l'énergie et faire respirer ses cellules. Sa pratique aussi régulière d'une activité physique lui permet de prendre soin de ses mitochondries, et je suis convaincu qu'il atteindra bientôt son objectif. Pour l'encourager, je lui ai remis ce tableau des classements de VO_2 max selon la condition physique.

CONDITION PHYSIQUE	**VO_2 max (ml/min/kg) femme**	**VO_2 max (ml/min/kg) homme**
Personne sédentaire	moins de 35	moins de 40
Marcheur ou sportif récréatif	35-49	40-59
Sportif de compétition	50-65	60-75
Sportif d'élite	plus de 65	plus de 75

VO_2 max selon la condition physique

COMME UN MOTEUR DE VOITURE

Vos mitochondries sont des merveilles de la nature que vous ne devriez jamais tenir pour acquises. Sans activité physique, plusieurs d'entre elles s'engourdissent et s'encrassent, comme le moteur de votre voiture que vous n'avez pas démarré depuis six mois. Vous êtes ainsi privé d'un accès rapide et maximal à de l'énergie.

La sédentarité serait associée à des mitochondries moins efficaces et moins nombreuses, ce qui les condamne à travailler plus fort pour effectuer les mêmes tâches, dont celles de la vie quotidienne. Et le surmenage intracellulaire des mitochondries n'est pas un gage de leur longévité. D'ailleurs, ces effets négatifs de la sédentarité s'amplifieraient avec les années. En d'autres mots, le fait d'être assis de façon prolongée altère davantage vos mitochondries avec l'avancée en âge, notamment leurs capacités respiratoires.

UNE ADAPTATION MAGISTRALE

Changer d'emploi vous oblige à une période d'intégration durant laquelle votre cerveau doit s'adapter à plusieurs nouveautés : tâches, horaire, hiérarchie, lieux physiques, etc. Puis, en quelques semaines, vous arrivez généralement à fonctionner plus normalement et à exploiter votre plein potentiel. À l'inverse, si vous effectuez des tâches pour lesquelles vous êtes surqualifié, votre cerveau risque de s'endormir au fil du temps et de perdre certaines habiletés qu'il maîtrisait pourtant autrefois.

Vos muscles possèdent une capacité d'adaptation qui s'apparente à celle de votre cerveau, et celle-ci peut être catalysée positivement par l'activité physique et négativement par la sédentarité. Vos mitochondries y occupent d'ailleurs des fonctions de premier plan. Il ne suffit que de quelques pirouettes intracellulaires et elles réaménagent leur configuration interne, se scindent en deux, fusionnent avec d'autres semblables, s'autoréparent, augmentent leur volume et arrivent même à se faire hara-kiri lorsqu'elles sont défectueuses, incompétentes ou lorsqu'elles ne sont plus requises.

L'activité physique permettrait aux mitochondries qui se situent dans vos muscles :

- de mieux fonctionner et d'être en plus grand nombre;
- d'augmenter leur densité jusqu'à 40 % ;
- d'éliminer les plus vieilles d'entre elles en les plaçant dans le bac de recyclage cellulaire, une étape indispensable à la fabrication de nouvelles mitochondries ;
- d'accroître leur contenu, notamment en protéines.

> La sédentarité serait associée à des mitochondries moins efficaces et moins nombreuses, ce qui les condamne à travailler plus fort pour effectuer les mêmes tâches.

PROGRAMME D'EXERCICES

STIMULEZ VOS MITOCHONDRIES

PAR UNE ACTIVITÉ AÉROBIQUE

> **Période d'échauffement de 5 minutes :** faites du vélo stationnaire à basse vitesse.
> **Activité :** vélo stationnaire ou autre appareil d'entraînement.
> **Fréquence :** 3 fois par semaine.
> **Durée de chaque séance :** commencez par effectuer 35 minutes durant la première semaine, puis augmentez graduellement la durée jusqu'à 55 minutes à la dixième semaine.
> **Durée totale du programme :** 10 semaines.
> **Particularités :** chaque semaine, les deux premières séances sont réalisées à intensité constante, soit 75 % de votre fréquence cardiaque maximale. La troisième séance est réalisée par intervalles, soit 3 minutes à 85 % de votre fréquence cardiaque maximale, suivies de 2 minutes à 60 % de votre fréquence cardiaque maximale.

PAR DES EXERCICES DE RÉSISTANCE

> **Période d'échauffement de 5 minutes :** marchez rapidement, montez l'escalier ou utilisez un appareil comme un vélo stationnaire.
> **Activité :** poids et haltères ou appareils d'entraînement. Faites 3 ou 4 séries de 12 répétitions. La première série est réalisée avec une charge d'environ 50 % inférieure aux suivantes. Prenez une pause de 30 à 60 secondes entre chaque série. Les exercices doivent cibler les groupes musculaires suivants :
- les quadriceps (dépliez vos genoux contre une résistance) ;
- les ischiojambiers (pliez vos genoux contre une résistance) ;
- les mollets (levez-vous sur la pointe des pieds contre une résistance).

> **Fréquence :** 3 fois par semaine.
> **Durée totale du programme :** 10 semaines.
> **Particularités :** augmentez la charge toutes les 2 semaines, selon votre gain de force.

DÉCOUVREZ LES MYOKINES

MUSCLES, TESTICULES ET SURRÉNALES

N'est pas testicule ou surrénale qui veut ; la libération d'hormones est un phénomène complexe. Le moindre faux pas provoque une cacophonie intracorporelle, et les maladies risquent alors de s'infiltrer insidieusement dans votre vie. En libérant des hormones comme l'adrénaline, l'insuline ou la testostérone, vos glandes endocrines assurent l'équilibre dans tous les systèmes de votre corps.

À ce jour, plus de trois cents myokines ont été répertoriées, et elles ont des bienfaits sur la santé cardiovasculaire, musculosquelettique, métabolique et mentale.

Coup de théâtre au début des années 2000 : des scientifiques découvrent que le muscle contribue, lui aussi, à l'équilibre qui règne à l'intérieur de vous en étant un organe sécrétoire, de surcroît le plus volumineux et le plus vascularisé. Bien qu'il ne fasse pas partie du système endocrinien, il produit et libère des substances s'apparentant à des hormones qui sont désormais regroupées au sein d'une grande famille : les myokines. Celles-ci forment une fratrie de protéines qui circulent librement à l'intérieur et à l'extérieur de vos muscles pour faciliter les échanges entre vos cellules.

À ce jour, plus de trois cents myokines ont été répertoriées, et elles ont des bienfaits sur la santé cardiovasculaire, musculosquelettique, métabolique et mentale. Et on ne peut qu'être impressionné par leur force d'action, qui est suffisamment importante pour maîtriser l'inflammation et pour participer à des améliorations cliniques dans différentes conditions, comme le cancer, l'obésité, le diabète et d'autres maladies chroniques. Je suis persuadé que vous ne voudrez plus vous passer de ce remède miracle dont les performances feraient rougir d'envie la plupart des médicaments.

LIBÉREZ VOS MYOKINES !

Vous ne pouvez pas vous procurer des myokines à la pharmacie, en comprimés ou en petits pots de crème. Il suffit de faire bon usage de vos muscles. En effet, vos myokines sont libérées pendant la contraction musculaire, alors que la sédentarité vous en prive. Cela révèle toute l'importance de stimuler votre musculature, puisque plusieurs myokines sont produites pendant l'activité physique, en fonction de différents paramètres comme :

- la durée de l'activité ;
- le nombre de muscles impliqués ;
- le type de fibres utilisées ;
- votre âge ;
- votre condition physique.

Par exemple, les activités aérobiques ne sont pas nécessairement associées à la libération des mêmes myokines et dans les mêmes quantités que les exercices de résistance. Il est donc utile de pratiquer plusieurs types d'activités physiques pour tirer un maximum de bienfaits.

Bien que la science ne permette pas à ce jour de connaître toutes les subtilités qui régissent la production et la libération des myokines, il n'en demeure pas moins que les données actuelles contribuent à leur rendre leurs lettres de noblesse et à les présenter comme une voie d'avenir de la médecine préventive et curative. À vous maintenant d'en profiter !

DES MAÎTRES COURSIERS

Il vous arrive certainement d'envoyer des documents de la plus grande importance, et vous souhaitez évidemment qu'ils parviennent au destinataire dans les meilleurs délais. Vous avez peut-être recours à des services de coursiers qui se déplacent à pied, à vélo ou en voiture. Vos muscles ont trouvé leur propre moyen d'établir une communication avec différentes parties de votre corps : ils sollicitent vos myokines, des messagers chimiques exemplaires, capables de franchir de courtes, moyennes et longues distances. Cela permet ainsi à vos muscles d'établir des liens biochimiques riches et efficaces avec une panoplie de cellules, de tissus et d'organes. Voici quelques-uns des messages transportés par vos myokines, regroupés selon la distance à parcourir.

1. Courte distance – fonctions autocrines

La plus petite distance que parcourent vos myokines est délimitée par les frontières d'une cellule, une région où elles s'acquittent de leurs fonctions autocrines sans emprunter la circulation sanguine. Les messages qu'elles transportent servent, entre autres, à la formation du muscle, à l'augmentation de son volume et à la régularisation de l'énergie qu'il consomme.

2. Moyenne distance – fonctions paracrines

Les myokines ne sont pas que des commissionnaires qui s'enferment dans leurs cellules. Certaines s'aventurent à l'extérieur. Cela leur donne l'occasion d'accomplir leurs fonctions paracrines en assurant la communication avec d'autres tissus qui se situent à proximité, comme les nerfs, les os, la peau, les vaisseaux sanguins et le tissu adipeux. Cette catégorie de myokines favorise, entre autres, une bonne vascularisation du muscle et une meilleure coordination entre celui-ci et les nerfs.

3. Longue distance – fonctions endocrines

Le plus long voyage que parcourent vos myokines est défini par la distance qui sépare un muscle d'un autre organe. Cela caractérise les fonctions endocrines de vos myokines, alors qu'elles zigzaguent énergiquement entre des millions de cellules pour livrer les messages qu'elles transportent notamment vers le cœur, le cerveau, le foie ou le pancréas.

3 MYOKINES À DÉCOUVRIR

1. L'interleukine 6

L'interleukine 6 (IL-6) joue un rôle dans les fonctions immunitaires, peut stimuler la prolifération des cellules satellites après une blessure et serait un atout pour prévenir le diabète. L'IL-6 provenant de la contraction musculaire est également connue pour son action dans la régulation des processus inflammatoires et permet la communication entre les muscles et le tissu adipeux. Elle serait d'ailleurs un régulateur du métabolisme des lipides et elle favoriserait la conversion du gras blanc en gras brun. Le taux sanguin d'IL-6 serait multiplié jusqu'à cent fois pendant l'activité physique.

2. Le facteur de croissance des fibroblastes-21

Le facteur de croissance des fibroblastes-21 (FCF21) est impliqué dans le contrôle du métabolisme du glucose et des lipides, des éléments prépondérants lors des problèmes de santé comme le diabète et les maladies cardiovasculaires. Les taux sanguins et intramusculaires de cette myokine sont particulièrement augmentés par l'activité physique, notamment les exercices de haute intensité et d'endurance. Même les entraînements de courte durée auraient des effets positifs sur la production de FCF21, comme faire du vélo stationnaire pendant 60 minutes à une intensité élevée, soit à 85 % de votre fréquence cardiaque maximale.

3. L'irisine

Découverte plus récemment que l'IL-6 et le FCF21, l'irisine serait impliquée dans le métabolisme du muscle, dans la transformation du gras blanc en gras brun, dans la formation de l'os et dans les communications entre le muscle et le tissu adipeux. L'irisine favoriserait également la perte de poids et un meilleur fonctionnement de vos mitochondries. Les taux d'irisine sont augmentés par les exercices d'intensité modérée, par les intervalles de haute intensité et par les exercices de résistance.

PROGRAMME D'EXERCICES

STIMULEZ VOS MYOKINES

PAR UN ENTRAÎNEMENT AÉROBIQUE PAR INTERVALLES

> **Période d'échauffement** : 5 minutes.
> **Activité** : faites des intervalles sur un tapis roulant.
> **Fréquence** : 3 ou 4 fois par semaine.
> **Durée de chaque séance** : 40 minutes.
> **Durée totale du programme** : de 8 à 10 semaines.
> **Particularités** : marchez pendant 4 minutes à 3 km/h, puis courez pendant 4 minutes à 85 % de votre fréquence cardiaque maximale.

PAR UN ENTRAÎNEMENT AÉROBIQUE CONTINU

> **Période d'échauffement** : 5 minutes.
> **Activité** : marchez à environ 65 % à 75 % de votre fréquence cardiaque maximale.
> **Fréquence** : 3 ou 4 fois par semaine.
> **Durée de chaque séance** : de 40 à 60 minutes.
> **Durée totale du programme** : de 8 à 10 semaines.

PAR DES EXERCICES DE RÉSISTANCE

> **Période d'échauffement de 5 minutes :** marchez rapidement, montez l'escalier ou utilisez un appareil comme un vélo stationnaire.

> **Activité :** poids et haltères ou appareils d'entraînement. Faites 3 ou 4 séries de 8 à 12 répétitions. La première série est réalisée avec une charge d'environ 50 % inférieure aux suivantes. Prenez une pause de 30 à 60 secondes entre chaque série ainsi qu'une pause de 2 minutes entre chaque groupe musculaire. Les exercices doivent cibler :
- les quadriceps (dépliez vos genoux contre une résistance) ;
- les fessiers (faites des squats) ;
- les ischiojambiers (pliez vos genoux contre une résistance) ;
- les grands dorsaux (baissez les bras contre une résistance) ;
- les pectoraux (faites des *push-up*) ;
- les biceps (pliez le coude contre une résistance) ;
- les triceps (dépliez le coude contre une résistance).

> **Fréquence :** 3 fois par semaine.

> **Durée totale du programme :** de 8 à 10 semaines.

> **Particularités :** augmentez la charge toutes les 2 semaines, selon votre gain de force.

LES BIENFAITS DES MYOKINES SUR VOS TISSUS ET VOS ORGANES

LE CERVEAU

> Stimulent les fonctions cognitives, comme la mémoire et la capacité d'apprentissage
> Participent à la formation des nerfs

LES SEINS

> Inhibent les cellules mammaires cancéreuses

LE SYSTÈME CARDIOVASCULAIRE

> Améliorent la vascularisation
> Assurent une meilleure santé du cœur
> Contrôlent la pression artérielle
> Contribuent à une meilleure capacité cardiorespiratoire

LE FOIE

> Facilitent le métabolisme du glucose
> Favorisent l'absorption des acides gras

LE PANCRÉAS

> Protègent la viabilité des cellules
> Facilitent les interactions avec l'insuline

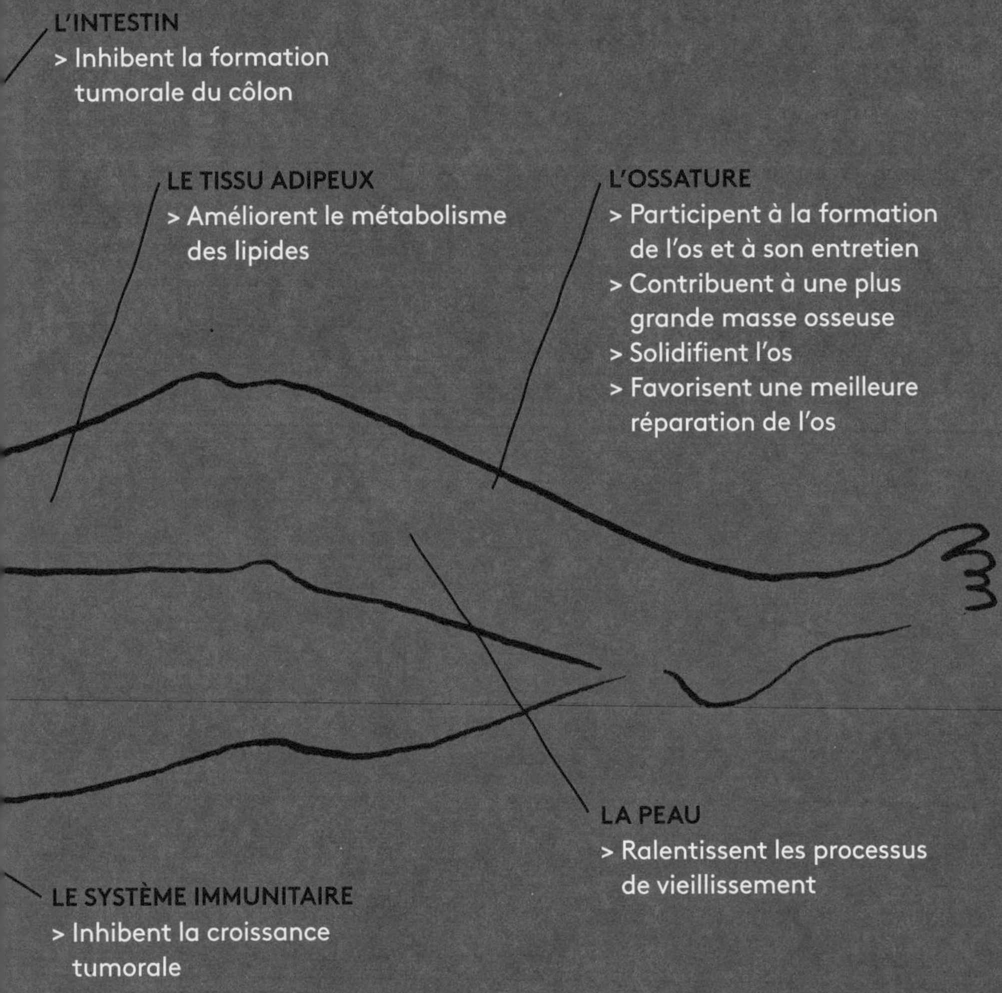

L'INTESTIN
> Inhibent la formation tumorale du côlon

LE TISSU ADIPEUX
> Améliorent le métabolisme des lipides

L'OSSATURE
> Participent à la formation de l'os et à son entretien
> Contribuent à une plus grande masse osseuse
> Solidifient l'os
> Favorisent une meilleure réparation de l'os

LA PEAU
> Ralentissent les processus de vieillissement

LE SYSTÈME IMMUNITAIRE
> Inhibent la croissance tumorale

UNE MACHINE À BOUGER

LES DEUX TIERS DE VOTRE VIE

Si vous faites partie de la moyenne de la population, vous passez au moins les deux tiers de votre vie en position assise ou couchée, et cela risque de s'accentuer avec l'âge. Le corps humain est pourtant une machine à bouger, qui se développe grâce à une diversité de mouvements. N'est-il pas absurde que des activités soient suspectes parce qu'elles se pratiquent debout ? C'est le cas de la course à pied, qui serait dangereuse pour la santé des genoux, au dire de certains. La sédentarité cause pourtant davantage de problèmes que l'activité physique. Et si vous êtes trop souvent assis, des parties de votre corps risquent de se déformer, de s'affaiblir ou de se fragiliser, notamment vos cartilages et votre ossature. Les prochaines pages vous présentent des solutions pour conserver les capacités biomécaniques qui peuvent être altérées par la sédentarité et le manque d'activité physique d'intensité modérée ou soutenue.

REMETTEZ-VOUS SUR PIED

DES APTITUDES EXCEPTIONNELLES

Vos pieds portent votre poids et amortissent les impacts au sol. Ils le font efficacement grâce à une architecture unique qui s'adapte à vos activités, mais aussi à l'absence de celles-ci. Le XXe siècle a transformé nos pieds en supports à chaussures qu'on installe du matin au soir sous la table ou le bureau. Jamais on ne condamnerait nos mains à autant d'immobilité. Il s'agit pourtant de parties du corps comparables, dotées de structures anatomiques qui ont besoin de bouger régulièrement.

Chacun de vos pieds est constitué de plusieurs muscles et de plus de deux douzaines d'os reliés par de nombreux ligaments et enveloppes fibreuses. Ces structures forment notamment la voûte plantaire, qui joue un rôle déterminant dans la mécanique du pied. Loin d'être inflexible, elle est capable de s'adapter et de réagir à différents types de surfaces en modifiant sa hauteur et sa longueur grâce à une souplesse relative et à de fines contractions musculaires. Ces aptitudes exceptionnelles du pied ne sont toutefois pas immuables ; il faut les protéger comme des espèces en voie de disparition. Il arrive qu'elles soient si peu utilisées que la voûte plantaire ne joue plus adéquatement son rôle d'amortisseur. Réduire le temps passé en position assise permet de maintenir les capacités de vos pieds, comme leur souplesse et leur endurance, et d'éviter les déformations des orteils.

DIMINUER LE RISQUE DE BLESSURE

Lorsque vous êtes debout, vos pieds sont les premiers répondants qui participent aux réactions posturales et aux mouvements nécessaires au maintien de votre équilibre. En effet, c'est par vos pieds que se déclenche une cascade de contractions musculaires qui vous permet de repositionner votre centre de gravité au bon endroit. Si la force et la souplesse de vos pieds sont insuffisantes, d'autres parties de votre corps doivent prendre la relève. Cela pourrait entraîner des mouvements de trop grande amplitude du tronc et des bras ainsi qu'augmenter votre risque de blessure, notamment à la région lombaire. Des réactions vives et efficaces de la plante de vos pieds évitent cette situation. Voici des exercices pour vous aider à les préserver et à maintenir la mobilité de vos orteils.

PROGRAMME D'EXERCICES

MOBILISATION DES ORTEILS

POSITION DE DÉPART

Assis, le pied au sol et les orteils détendus.

CE QU'IL FAUT FAIRE

Faites chacun des exercices suivants avec les deux pieds.

> Fléchissez les orteils pendant 5 secondes comme si vous souhaitiez prendre un crayon sur le plancher, puis relâchez complètement les muscles de vos orteils et de vos pieds pendant 5 secondes. Répétez 10 fois.

> Éloignez les orteils l'un de l'autre pendant 5 secondes, puis relâchez complètement les muscles de vos orteils et de vos pieds pendant 5 secondes. Répétez 10 fois. Utilisez vos doigts pour mobiliser le gros orteil si celui-ci a du mal à effectuer le mouvement.

> Levez les orteils pendant 5 secondes en maintenant les pieds au sol, puis relâchez complètement les muscles de vos orteils et de vos pieds pendant 5 secondes. Répétez 10 fois.

POUR AUGMENTER LE NIVEAU DE DIFFICULTÉ

> Faites l'exercice debout.

> Faites l'exercice debout, sur un pied.

MOBILISATION DE LA VOÛTE PLANTAIRE

POSITION DE DÉPART

Assis, le pied au sol et les orteils détendus.

CE QU'IL FAUT FAIRE

Soulevez la voûte plantaire d'environ 1 centimètre en contractant les muscles du pied sans toutefois fléchir les orteils. Maintenez la position 10 secondes, puis relâchez. Répétez 10 fois. Faites l'exercice avec l'autre pied.

POUR DIMINUER LE NIVEAU DE DIFFICULTÉ

> Massez la plante du pied pendant 5 minutes avant de faire l'exercice.
> Placez un crayon sous la voûte plantaire. La stimulation tactile facilite la contraction des muscles.

POUR AUGMENTER LE NIVEAU DE DIFFICULTÉ

> Faites l'exercice debout et placez de 25 % à 50 % de votre poids sur votre pied.
> Faites l'exercice en équilibre sur un pied.

EXERCICE PROPRIOCEPTIF

POSITION DE DÉPART

Debout, les genoux légèrement fléchis, un pied devant l'autre de façon que le talon d'un pied touche les orteils de l'autre.

CE QU'IL FAUT FAIRE

Pendant 5 secondes, placez environ 75 % de votre poids sur le pied qui est devant, puis déplacez votre poids sur le pied qui est derrière. Répétez 5 fois.

POUR DIMINUER LE NIVEAU DE DIFFICULTÉ

Faites l'exercice les pieds côte à côte.

POUR AUGMENTER LE NIVEAU DE DIFFICULTÉ

Faites l'exercice les yeux fermés.

5 CONSEILS POUR STIMULER LES MUSCLES DE VOS PIEDS

> Marchez pieds nus tous les jours au moins quelques minutes.
> Marchez sur différents types de sols, comme le tapis, le bois, la pelouse, des surfaces planes et inclinées, etc.
> Variez vos activités afin d'utiliser vos muscles de différentes façons. Par exemple, montez et descendez l'escalier, faites des activités en position debout, marchez, sautez et courez, même sur de très courtes distances.
> Choisissez des chaussures souples et à talons plats.
> Faites des exercices spécifiques qui sollicitent l'équilibre, la souplesse et la force musculaire.

VOS FESSES NE SONT PAS DES COUSSINS

PRÉVENIR LES TENSIONS

Les apparences sont parfois trompeuses : vos fesses ne sont pas des coussins, bien qu'elles soient rondes et semblent destinées à se poser sur votre chaise. Cette partie du corps cache une mécanique ingénieuse qui est notamment composée de vos articulations sacro-iliaques, de vos hanches, de plusieurs nerfs et vaisseaux sanguins ainsi que d'une dizaine de muscles dont la contraction est une des pierres angulaires de la prévention des maux de dos. Ces muscles peuvent à la fois soulever

Les personnes souffrant de douleurs lombaires chroniques démontrent plus fréquemment de la faiblesse et des tensions aux muscles fessiers.

le poids de votre corps et protéger votre région lombaire. Leur déconditionnement causé par la position assise prolongée doit être prévenu par des activités comme la marche, le sport ou des exercices spécifiques. Sinon le mal de dos risque de vous affliger. Nicholas A. Cooper et son équipe du Département de physiothérapie de l'Université de l'Iowa ont d'ailleurs constaté que les personnes souffrant de douleurs lombaires chroniques démontrent plus fréquemment de la faiblesse et des tensions aux muscles fessiers. Une façon simple de développer la force de ces muscles est de monter et de descendre régulièrement l'escalier ou de marcher plusieurs fois par semaine sur un terrain en pente. Les tensions aux fessiers se préviennent quant à elles, entre autres, en faisant des exercices d'assouplissement.

L'OS QUI VOUS FAIT MAL AU CINÉMA

Vous avez certainement déjà ressenti une douleur sous les fesses après avoir été assis durant plusieurs heures, comme cela arrive au cinéma. Cette sensation désagréable n'est pas une fatalité. Voyez-la plutôt comme un message que vous envoie votre bassin pour vous exprimer sa haine de la position assise.

Le bassin n'est pas conçu pour s'harmoniser avec la chaise. Il n'est constitué que de trois os : un sacrum et deux iliaques, dont la partie pointue est forcée de supporter votre poids lorsque vous êtes assis sur une chaise. Cette particularité anatomique est à l'origine de la douleur que vous ressentez en position assise prolongée. La seule façon de vous soulager sans vous lever est de changer votre posture en basculant votre bassin. Cette façon de faire n'est cependant efficace que pour de courtes périodes, car elle arrondit votre dos et met sous tension vos disques et vos articulations vertébrales. Ces changements d'alignement articulaire modifient également la position du haut du corps : vos épaules s'enroulent et votre tête est déplacée vers l'avant, ce qui accroît les tensions musculaires et vous prédispose à la fatigue.

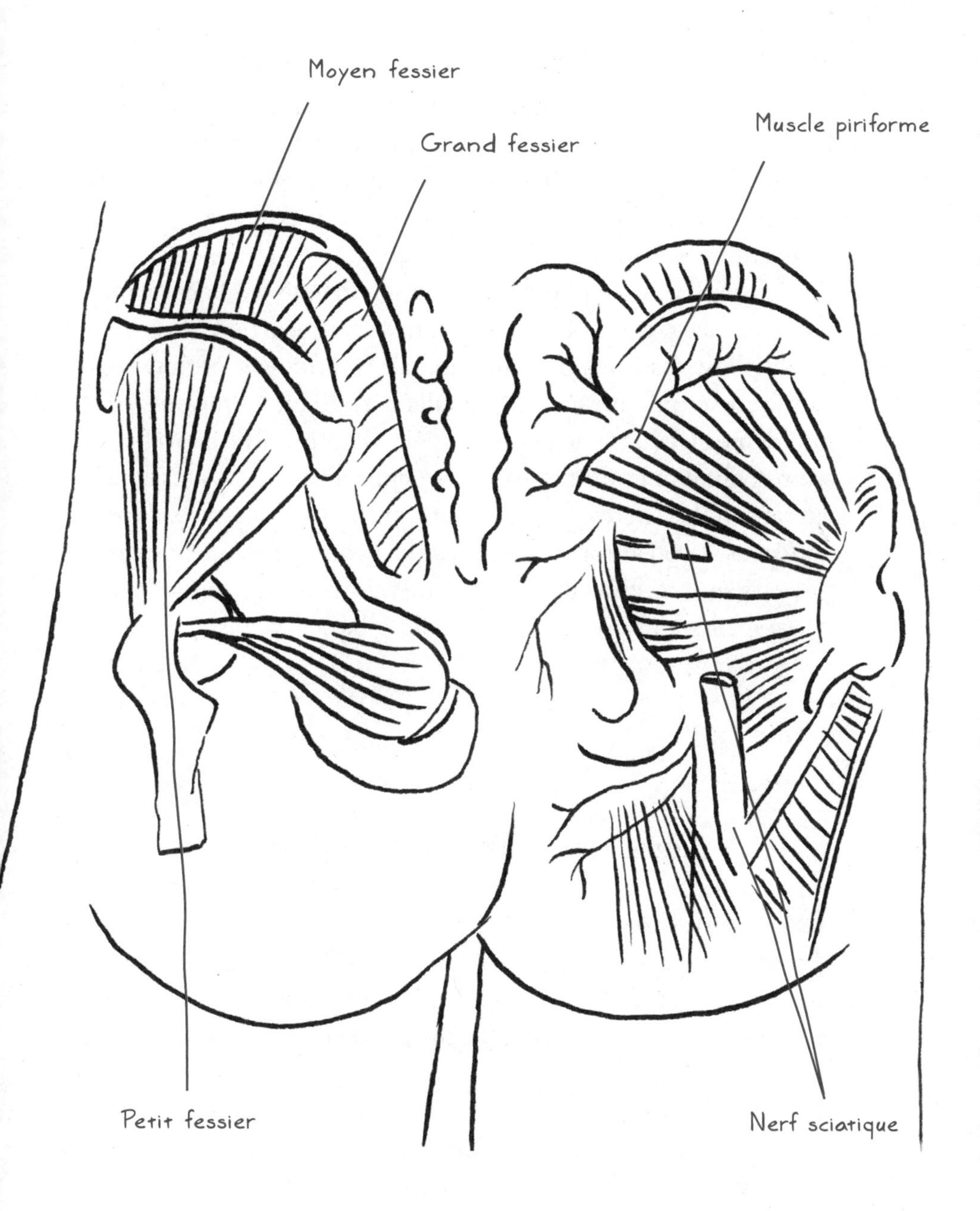
Moyen fessier
Grand fessier
Muscle piriforme
Petit fessier
Nerf sciatique

LE SYNDROME DU PORTEFEUILLE

Plusieurs nerfs se faufilent entre l'ossature et les muscles du bassin, et les écraser pendant des heures en position assise n'est peut-être pas l'idée du siècle. Le muscle piriforme est particulièrement vulnérable en raison de sa position anatomique. Il se trouve sous les fessiers, et il est traversé par le plus connu des nerfs : le nerf sciatique.

Le syndrome du portefeuille est une irritation du nerf sciatique causée par un objet placé dans la poche arrière du pantalon. Il est associé à une pression asymétrique et prolongée sur la fesse qui entraîne une douleur irradiante. Prévenez ce problème en évitant de placer un objet dans la poche arrière de votre pantalon et diminuez les tensions aux muscles fessiers en faisant des exercices d'étirement, surtout si vous passez vos journées en position assise. Souvenez-vous toutefois que les fessiers sont ronds et que, pour cette raison, ils ne s'étirent pas aussi facilement que des muscles longilignes.

D'EXERCICES

EXERCICE D'ASSOUPLISSEMENT DES FESSIERS

POSITION DE DÉPART

Couché sur le dos, debout sur un pied ou assis sur une chaise (sans toucher au dossier, le corps droit et détendu comme si vous étiez suspendu à un fil), la cheville placée sur le genou opposé.

CE QU'IL FAUT FAIRE

Creusez le bas du dos en basculant le bassin, puis dirigez le genou vers l'épaule opposée en vous aidant avec les mains. Gardez la position de 20 à 30 secondes en respirant librement et en maintenant le bassin immobile et le bas du dos détendu. Répétez 5 fois. Inversez la position et refaites l'exercice.

RESSUSCITEZ VOS CARTILAGES

L'ÉLÉPHANT DANS LA PIÈCE

On ne parle que rarement des cartilages. Ils sont pourtant l'éléphant dans la pièce en ce qui concerne les causes de blessures et de douleurs articulaires, et les probabilités que vous soyez concerné par l'une ou l'autre de ces blessures sont très élevées. L'arthrose, la hernie discale et la déchirure d'un ménisque comptent parmi les plus fréquentes. Deux raisons expliquent la fragilité de vos cartilages.

- Ils ne reçoivent pas de sang. Votre corps n'a donc aucun moyen de les réparer, contrairement à la plupart de vos tissus.
- Une proportion importante n'est pas connectée à votre système nerveux. Or, il vous est impossible de savoir qu'une blessure est survenue à une partie non innervée. Vous pouvez donc, malgré vous, aggraver votre condition.

Il existe plusieurs types de cartilages, dont le cartilage hyalin. Celui-ci permet à vos articulations de bouger de façon plus harmonieuse. Il ressemble à de petits coussinets qui sont situés à l'extrémité de vos os longs, comme votre fémur ou votre tibia. Il y a aussi le fibrocartilage, qui forme vos disques intervertébraux et les ménisques de vos genoux.

ACTIVER LA SYNOVIE

Tout n'est cependant pas sombre dans l'univers des cartilages. Bien qu'ils ne soient pas vascularisés ni desservis adéquatement par votre système nerveux, ils sont irrigués par un liquide de consistance visqueuse qui se trouve à l'intérieur de vos

L'immobilité est le pire ennemi de la synovie, et elle a besoin d'être activée par le mouvement de chacune de vos articulations.

articulations, la synovie. Celle-ci agit comme de l'huile à l'intérieur d'un moteur. Vos cartilages sont ainsi nourris, lubrifiés et protégés de l'usure prématurée par la synovie. Elle s'avère votre carte maîtresse afin de préserver la santé de vos cartilages. Elle a cependant un grand défaut : elle est inerte comme de l'eau stagnante. L'immobilité est donc son pire ennemi, et elle a besoin d'être activée par le mouvement de chacune de vos articulations. Sinon elle perd plusieurs de ses propriétés mécaniques et ne protège plus efficacement vos cartilages.

GARANTIE PROLONGÉE

Le genou est l'une des plus grosses articulations de votre corps, et il est particulièrement vulnérable à l'arthrose, soit à l'usure des cartilages. La marche agit comme une garantie prolongée qui vous protège des conséquences négatives de l'arthrose en préservant les capacités de vos genoux, comme leur force, leur endurance et leur mobilité. En effet, des chercheurs américains ont démontré que le risque de limitations fonctionnelles causées par l'arthrose diminuait jusqu'à 18 % pour chaque tranche de 1000 pas effectués quotidiennement. Les auteurs de cette étude recommandent de franchir le seuil des 6000 pas par jour afin d'atteindre une protection maximale.

RENOUVELEZ L'OS

VIVANT JUSQU'À L'OS

Vos os ne sont pas des structures passives qui prennent leur retraite lorsque votre croissance se termine. Au contraire, leurs cellules s'activent sans relâche pour maintenir la densité et la solidité de votre ossature. Chacun de vos os boucle d'ailleurs un cycle de renouvellement après une période d'environ quatre mois. Pour y parvenir, ils comptent sur deux types de cellules dont le fonctionnement est très sensible à l'activité physique :

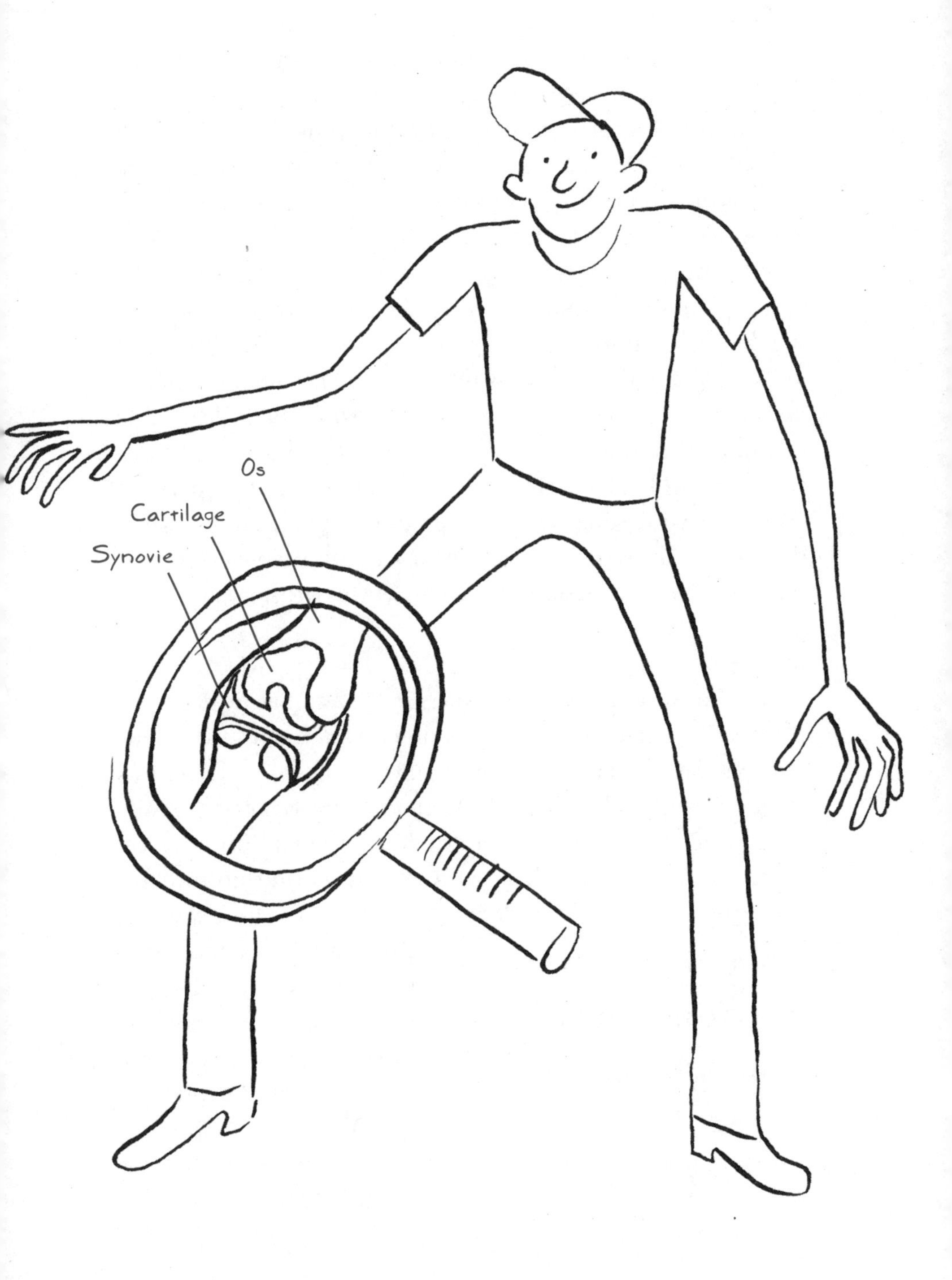
Os
Cartilage
Synovie

- les ostéoblastes, qui s'occupent de la formation de l'os;
- les ostéoclastes, qui s'affairent à la destruction de l'os (résorption osseuse).

Durant l'enfance, le corps produit plus d'os qu'il n'en détruit, ce qui a pour conséquences d'augmenter la densité osseuse et de soutenir la croissance. Le scénario se modifie au début de l'âge adulte, alors qu'un équilibre s'installe entre la production et la destruction de l'os. Puis l'équilibre se brise vers le début de la quarantaine, et la densité osseuse amorce une lente diminution.

Vos os sont donc bien vivants, et ils ont besoin que vous en preniez soin. Sinon ils risquent de perdre davantage de solidité et même de se fracturer. Qui plus est, votre ossature est indispensable à votre santé: elle produit entre autres la plupart des cellules de votre sang et elle constitue votre plus grande réserve de calcium, un élément essentiel aux innombrables réactions biochimiques qui se déroulent dans votre corps.

GINGER ET FRED

Ginger Rogers et Fred Astaire formaient un couple de danseurs phénoménal. Les mouvements de l'un mettaient en valeur ceux de l'autre, dans une complémentarité exemplaire. Des alliances semblables existent également dans le corps humain, comme le couple cœur-poumons et l'association ovaires-utérus. L'os et le muscle constituent aussi un duo indissociable, et la santé de l'un est étroitement liée à celle de l'autre. Par exemple, la contraction musculaire joue un rôle crucial dans le remodelage de l'os, car la tension mécanique qu'elle provoque stimule notamment l'activité des ostéoblastes. En d'autres mots, plus vous utilisez vos muscles, plus

L'os et le muscle forment un duo indissociable, et la santé de l'un est étroitement liée à celle de l'autre.

vos os sont en santé, et vice versa. La qualité et la densité de l'os sont également favorisées par la combinaison d'une saine alimentation et la pratique d'activités physiques pendant lesquelles vous marchez, sautez ou courez. Ces activités sont associées à la libération de myokines par vos muscles ainsi qu'aux bienfaits de la gravité qui favorisent un meilleur équilibre entre la formation et la résorption osseuse. Cet équilibre demeure toutefois fragile et vulnérable. Il peut être facilement brisé par la sédentarité, mais aussi par la consommation de cigarettes et la prise prolongée de corticostéroïdes.

PROTÉGEZ VOTRE DOS

UNE MÉCANIQUE QU'IL FAUT UTILISER

Les cloportes ont quatorze pattes, les araignées en ont huit et les fourmis en possèdent six. L'être humain semble moins bien pourvu, ne pouvant compter que sur deux jambes pour se rendre du point A au point B. Or, cette apparente simplicité biomécanique cache une complexité articulaire hors du commun qui se loge un peu plus haut, entre le bassin et la tête. En effet, votre colonne vertébrale compte plus de soixante-dix articulations qui relient vos vertèbres, bien sûr entre elles, mais aussi à vos côtes, à votre crâne et à votre sacrum. Cette imbrication de pièces osseuses vous offre une pléthore de mouvements qui supplantent les plus complexes contorsions du monde animal. Et cette partie de votre corps bouge grâce à des centaines de muscles et de structures non contractiles qui sont parfois fragiles. Il n'est pas étonnant que la douleur au dos soit la plus fréquente des douleurs musculosquelettiques. À la lumière de plusieurs études scientifiques, la position assise prolongée augmente considérablement le risque d'en souffrir. L'équipe de Nidhi Gupta du Centre national de recherche pour l'environnement au travail de Copenhague a démontré que passer la plus grande partie de sa journée en position assise accroît les probabilités de douleurs lombaires de près de 50 %. Voilà une preuve que votre colonne vertébrale est faite pour bouger. L'immobiliser de façon prolongée perturbe sa mécanique et affaiblit les trois principaux groupes musculaires essentiels à la santé de votre dos : les abdominaux profonds, les muscles du dos et les muscles de la respiration.

1. Les abdominaux profonds

Les muscles de l'abdomen sont au nombre de quatre. Deux d'entre eux sont directement impliqués dans la stabilisation du bas de votre dos, soit le transverse de l'abdomen et l'oblique interne. Ces muscles situés en profondeur travaillent en synergie avec les muscles du dos et ceux de la respiration. Leur activité peut d'ailleurs être complètement interrompue en position assise si vous maintenez votre dos arrondi.

2. Les muscles du dos

Certains muscles de votre dos sont très courts et relient une vertèbre à une autre, tandis que d'autres sont longs et s'étendent comme des tentacules depuis la région lombaire jusqu'à la région cervicale. Chacun de ces muscles vous permet d'effectuer une multitude de mouvements. Toutefois, la position assise prolongée réduit considérablement leur activité, et encore plus si vous avez déjà eu de la douleur au dos, comme si votre cerveau oubliait des muscles qui vous ont déjà fait souffrir.

3. Les muscles de la respiration

Le diaphragme est littéralement votre aspirateur central. En forme de coupole, il agit comme un mégapiston qui traverse votre abdomen pour s'attacher à certaines de vos vertèbres lombaires, à vos côtes et à des fascias du bas du dos. Cette configuration anatomique vous permet d'inspirer profondément, mais aussi de protéger le bas de votre dos en augmentant la pression abdominale. D'autres muscles participent à la respiration, dont la plupart sont étroitement liés à votre posture ainsi qu'aux mouvements de votre tête et du haut de votre dos. La position assise modifie votre respiration, notamment parce qu'elle réduit l'expansion thoracique et parce qu'elle requiert peu d'énergie. Les muscles de la respiration s'adaptent à l'immobilité et à la diminution d'activité qui y est associée, au risque de moins bien stabiliser votre colonne vertébrale et de vous rendre vulnérable aux maux de dos.

Le diaphragme vous permet d'inspirer profondément, mais aussi de protéger le bas de votre dos en augmentant la pression abdominale.

Voici deux exercices qui vous permettront de prendre soin de ces trois groupes musculaires. Ils vous aideront, entre autres, à stabiliser vos articulations vertébrales et à prévenir les mouvements brusques du tronc.

D'EXERCICES

LA PLANCHE

POSITION DE DÉPART

Les avant-bras sur un comptoir ou sur la surface d'un bureau, les coudes pliés, le bassin placé de façon à réduire au minimum la courbure du bas du dos, les genoux tendus et les chevilles fléchies à au moins 90°.

CE QU'IL FAUT FAIRE

Rentrez le nombril et la partie inférieure de l'abdomen et respirez librement. Gardez la position 1 ou 2 minutes. Répétez 3 fois.

POUR DIMINUER LE NIVEAU DE DIFFICULTÉ

Faites l'exercice face au mur, le corps placé à environ 45° du sol, les coudes tendus et les mains au mur.

POUR AUGMENTER LE NIVEAU DE DIFFICULTÉ

> Après avoir rentré le nombril et la partie inférieure de l'abdomen, levez le pied gauche et le bras droit. Gardez cette position 1 minute. Répétez 3 fois. Refaites l'exercice en levant le pied droit et le bras gauche.

> Faites l'exercice au sol.

LA RESPIRATION ABDOMINALE

POSITION DE DÉPART

Assis, les mains sur le ventre.

CE QU'IL FAUT FAIRE

Inspirez profondément en gonflant le ventre, sans bouger les côtes, ni le sternum, ni les épaules. Puis expirez le plus naturellement possible, sans forcer. Répétez 10 fois, lentement.

POUR DIMINUER LE NIVEAU DE DIFFICULTÉ

Faites l'exercice couché sur le dos.

POUR AUGMENTER LE NIVEAU DE DIFFICULTÉ

Faites l'exercice debout, adossé au mur, les genoux légèrement pliés.

LA SÉDENTARITÉ VOUS REND MALADE

UNE BOMBE À RETARDEMENT

La sédentarité n'entraîne aucun bienfait pour votre santé. Elle est une bombe à retardement sur laquelle vous êtes assis et dont les effets immédiats ne sont pas visibles à l'œil nu. Les plus délétères d'entre eux se manifestent d'ailleurs si loin dans le temps qu'ils sont difficiles pour la plupart des personnes à lier à des comportements quotidiens en apparence inoffensifs qui sont pourtant clairement associés à plusieurs maladies.

LE JOUR OÙ VOTRE CHAISE VOUS TUERA

À TOMBER EN BAS DE VOTRE CHAISE

Certains ont peur de mourir dans un accident d'avion, d'autres d'une piqûre d'araignée, mais personne ne se doute que leur chaise finira peut-être un jour par mettre fin à leur vie. Bien que cet objet n'ait rien de menaçant à première vue, il peut effectivement mettre en péril votre longévité : les personnes qui sont le plus souvent assises auraient en effet un risque de mort prématurée augmenté d'au moins 49 % par rapport aux personnes les moins sédentaires de la société. Et après la dixième heure passée sur une chaise, chaque heure supplémentaire augmenterait davantage ce risque.

Les effets de la position assise sont plus marqués en présence d'un problème de santé chronique, comme le diabète ou une maladie cardiovasculaire. En ce qui concerne les maladies pulmonaires obstructives, les personnes qui en sont atteintes auraient un risque de mort prématurée jusqu'à 400 % plus élevé lorsqu'elles consacrent plus de 8,5 heures par jour à la position assise. Leur risque demeure élevé même lorsqu'elles participent à des activités physiques d'intensité modérée ou soutenue.

Les personnes qui sont le plus souvent assises auraient un risque de mort prématurée augmenté d'au moins 49 %.

Pourquoi de longues heures en position assise vous rapprochent-elles de votre dernier souffle ? Le risque de mort prématurée est en outre attribuable au fait que cette position est associée à une prévalence plus élevée de plusieurs maladies potentiellement mortelles, comme les maladies du cœur, le cancer, les maladies respiratoires chroniques, les AVC et le diabète. Paul Loprinzi et son équipe ont démontré que le fait d'être souvent assis était également lié à des décès causés par des maladies moins fréquentes, comme une infection ou un problème du système immunitaire.

JUSQU'À 779 %

Des chercheurs sud-africains ont mesuré le risque de mort prématurée selon le degré de sédentarité et d'activité physique de 1677 participants âgés de 50 ans et plus. Comparativement au risque des personnes qui étaient peu sédentaires et très actives, celui des participants très sédentaires et très actifs était augmenté de 279 %, de 438 % chez ceux qui étaient peu sédentaires et peu actifs, et de 779 % chez ceux qui étaient très sédentaires et peu actifs. L'effet de la sédentarité sur le risque de mort prématurée serait donc moindre chez les personnes qui appliquent les recommandations en matière d'activité physique.

Ces statistiques démontrent bien que la sédentarité et l'activité physique sont deux concepts distincts. Elles vous donnent envie de vous lever et de marcher quelques minutes ? Il semblerait qu'une telle initiative soit bénéfique pour votre espérance de vie, du moins selon Daniela Schmid et son équipe de

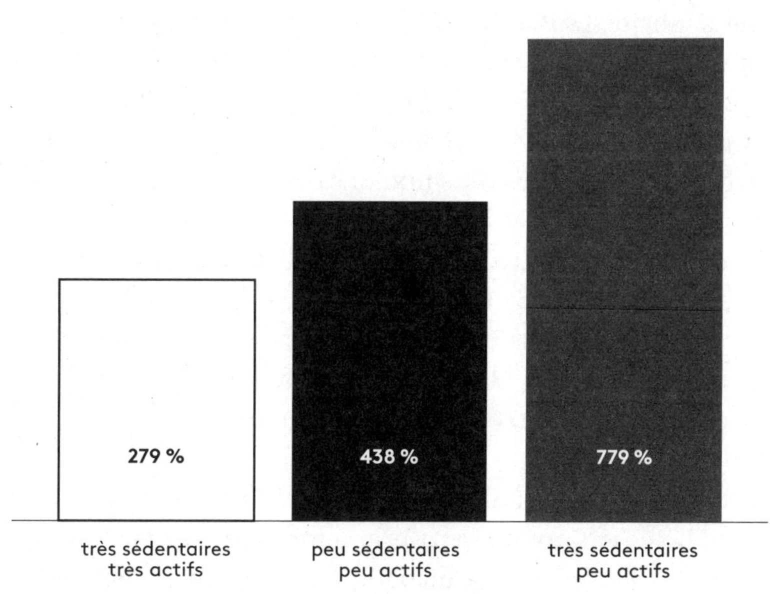

Augmentation du risque de mort prématurée selon le degré de sédentarité et d'activité physique

l'Université de Regensburg, en Allemagne. En effet, remplacer 30 minutes de comportements sédentaires par une quantité égale d'activité physique réduirait le risque de mort prématurée jusqu'à 50 %, de façon proportionnelle au niveau d'intensité de l'activité. Pour déjouer les statistiques, plusieurs auteurs recommandent de pratiquer au moins 15 minutes par jour d'activité physique d'intensité modérée ou soutenue et d'être assis moins de 10 heures par jour.

VOS MUSCLES POUR COMBATTRE LE DIABÈTE

3 MILLIONS

Le diabète de type 2 est une maladie chronique caractérisée par une utilisation inefficace de l'insuline. Cette hormone sécrétée par le pancréas vous permet notamment d'utiliser le glucose dans votre sang comme source d'énergie, sans quoi votre glycémie augmente et entraîne des problèmes que personne ne vous souhaite. Le diabète de type 2 représente 90 % des cas de diabète, suivi du diabète de type 1 et du diabète gestationnel.

Si vous désirez inviter à dîner la grande famille des personnes diabétiques du Canada, il vous faudra beaucoup d'espace pour recevoir les trois millions de Canadiens qui en sont atteints, sans compter les sept millions qui seraient prédiabétiques, c'est-à-dire ceux dont la quantité de sucre dans le sang dépasse les valeurs normales. Le diabète est en effet loin d'être une maladie marginale. Tueur en série, il est la sixième cause de mortalité au Canada, il peut jusqu'à doubler votre risque d'accident vasculaire cérébral et il peut nuire à la santé de votre cœur, de vos reins et de vos yeux.

Les chiffres sont éloquents quant à la force destructrice du diabète : le taux de mort prématurée serait de 80 % plus élevé chez les personnes diabétiques que pour la population générale. Il y a de quoi être subjugué devant ce triste constat, d'autant plus que la grande majorité des cas pourraient être prévenus, du moins en ce qui concerne le diabète de type 2. Et le temps presse. Le nombre de personnes atteintes dans le monde a pratiquement quadruplé de 1980 à 2014 et, durant la prochaine décennie, on prévoit au Canada une augmentation de prévalence de 44 %.

PAS QUE DE LA BRIOCHE

On fait souvent le lien entre le diabète de type 2 et un tour de taille élevé, et avec raison, puisque l'obésité est l'un des premiers facteurs de risque du diabète. Or, la sédentarité est l'une de ses sérieuses rivales, car elle double le risque de diabète. Même les personnes sédentaires qui ne sont pas obèses voient leur risque augmenter. La sédentarité expliquerait d'ailleurs jusqu'à 64 % des cas de diabète de type 2. Il ne faut toutefois rien exagérer ; le diabète n'est pas une maladie contagieuse qui s'attrape par la position assise. D'autres facteurs que la sédentarité et l'obésité peuvent vous y prédisposer, comme votre profil génétique, une haute tension artérielle et l'environnement social dans lequel vous vivez.

MES COURS DE PHYSIOLOGIE

Dans mes cours de physiologie à l'université, j'ai eu du mal à bien comprendre certains liens entre le glucose et le diabète. À première vue, le sujet me laissait plutôt indifférent. Le futur physiothérapeute en moi se disait que c'était à cent lieues du système musculosquelettique. Erreur. Le diabète et les muscles ont des liens que jamais je n'aurais soupçonnés. Afin de m'aider à clarifier les mystères de cette maladie, un de mes

Même les personnes sédentaires qui ne sont pas obèses voient leur risque augmenter. La sédentarité expliquerait d'ailleurs jusqu'à 64 % des cas de diabète de type 2.

professeurs m'avait fait un dessin humoristique que je vous reproduis sur la page de droite. Il m'avait aussi précisé que le glucose est un sucre qui voyage dans le sang pour plus tard entrer dans nos cellules et y être converti en énergie.

« Soit, lui avais-je répondu, mais quel est le rapport avec les muscles ?

— Denis, les muscles utilisent plus de 80 % du glucose qui se trouve dans ton sang, et c'est grâce à lui que la contraction musculaire est possible, m'avait-il dit avant de m'annoncer une mauvaise nouvelle. Le glucose, seul, est incapable d'entrer dans tes cellules. Il a obligatoirement besoin d'une clé : l'insuline. Sans l'insuline, ou lorsqu'elle fonctionne mal, le glucose fait la file devant la cellule, et ça finit par s'entasser comme des sardines dans ton sang. Cette situation non souhaitable correspond à une glycémie trop élevée et, passé un certain seuil, le diabète entre dans ta vie. »

Les explications de mon professeur m'ont permis de comprendre qu'il est important que l'union entre le glucose et l'insuline se déroule comme prévu pour le bien-être de notre glycémie et de nos contractions musculaires. Lorsque cette union est infructueuse, on dit que le corps a une résistance à l'insuline. Et c'est là qu'entre en jeu la sédentarité, puisqu'il a été démontré qu'elle contribue à une plus grande résistance à l'insuline et qu'elle augmente le risque de diabète. En effet, la sédentarité entraîne des taux plus élevés de glucose dans le sang, parfois même si vous faites régulièrement de l'activité physique.

DIMINUEZ VOTRE RISQUE DE DIABÈTE GRÂCE À L'ACTIVITÉ PHYSIQUE

1. Prenez soin de votre capacité cardiorespiratoire

Plusieurs études ont démontré que les personnes qui possèdent une bonne capacité cardiorespiratoire ont une meilleure glycémie et un risque moindre de diabète, même si elles adoptent régulièrement des comportements sédentaires. Vous

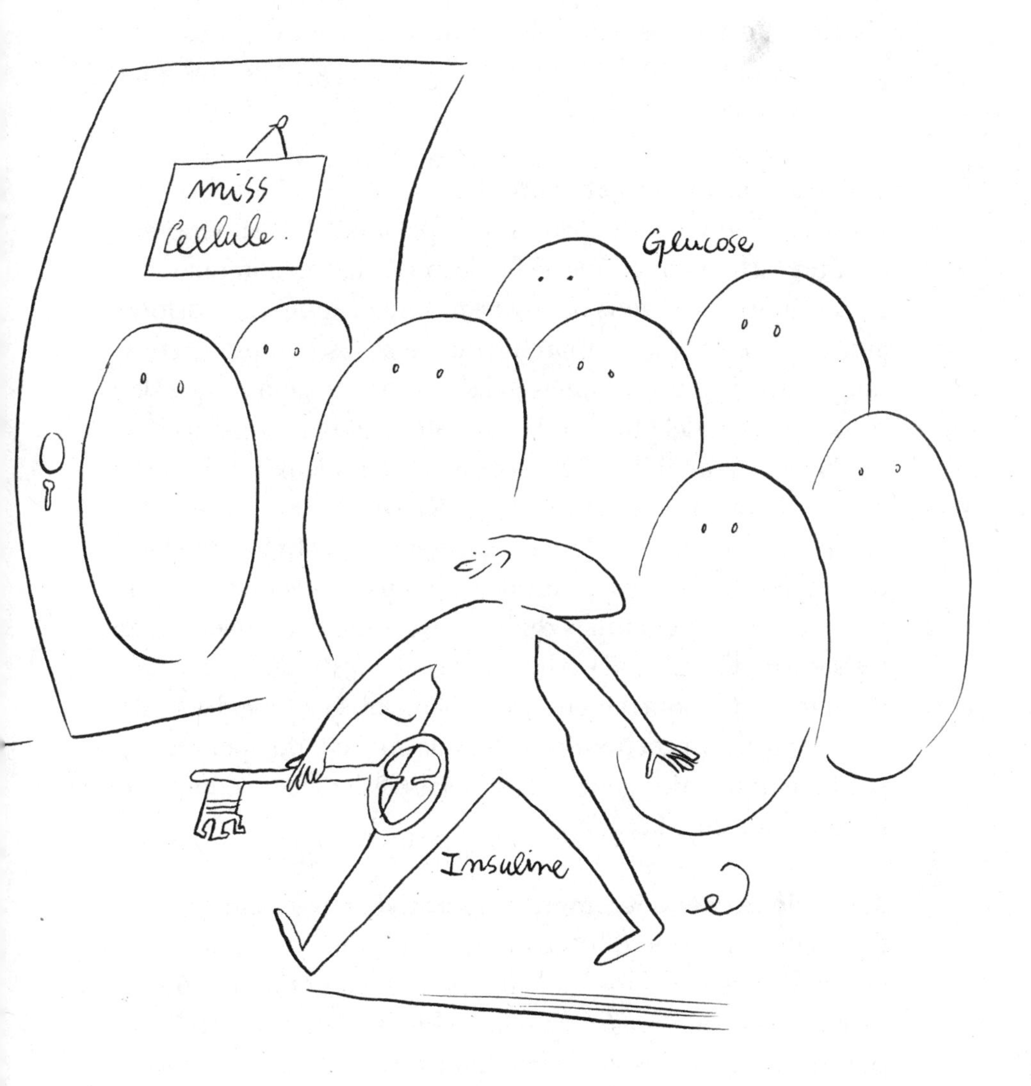
miss
Cellule.
Glucose
Insuline

pouvez améliorer votre capacité cardiorespiratoire en faisant des activités qui sollicitent votre cœur et vos poumons, comme le vélo, la danse ou la course, mais aussi (surtout !) en modifiant certaines habitudes, comme trouver de nouveaux prétextes pour marcher pendant au moins 30 minutes, plusieurs fois par semaine.

2. Faites des pauses et marchez

Faire régulièrement des pauses de la position assise pour pratiquer une activité physique de faible intensité améliorerait votre glycémie, même si vous passez beaucoup de temps en position assise. Par exemple, la marche, même à basse vitesse, réduirait le taux de glucose sanguin d'environ 16 %, tandis que des pauses passées debout, sans bouger, auraient peu ou pas d'effet.

Mais qu'y a-t-il de si efficace dans le simple fait de bouger, même si vous ne transpirez pas ? Kristin I. Stanford et son équipe de l'Université Harvard croient que l'activité physique de faible intensité activerait des signaux moléculaires alternatifs chez les personnes diabétiques. Cela contournerait la résistance à l'insuline dans le muscle et favoriserait l'utilisation du glucose. Ce pourrait aussi être parce que ce type d'activité raviverait les mitochondries dans le muscle des personnes prédiabétiques, du moins selon Megan Osler et son équipe de l'institut Karolinska, à Stockholm.

3. Pratiquez régulièrement une activité physique

L'activité physique d'intensité modérée ou soutenue a des effets directs sur l'un des principaux facteurs de risque du diabète : l'obésité. Des chercheurs chiliens ont démontré que plus de 62% des cas de diabète pourraient être évités grâce à une augmentation du niveau d'activité physique de la population. Et en combinant à cela une diminution des taux de sédentarité et d'obésité, ce pourcentage s'élèverait jusqu'à près de 80 %. Les effets bénéfiques de ces bonnes habitudes de vie sont d'ailleurs observés à moyen et à long terme, mais aussi à court terme. Par exemple, réallouer 30 minutes de comportements sédentaires à des activités physiques d'intensité modérée ou soutenue améliore la sensibilité à l'insuline de 18 % chez les personnes à risque de diabète.

ÉLOIGNEZ CE SYNDROME QUI VOUS VEUT DU MAL

LE QUART DES CANADIENS

Le syndrome métabolique n'est pas le plus connu des problèmes de santé. Il concerne cependant une proportion élevée de la population, soit près du quart des Canadiens et au-delà de la moitié des personnes de 60 ans et plus. Ce syndrome est l'équivalent d'une mine antipersonnel qui s'installe insidieusement dans votre corps et qui menace tous vos systèmes. Vous pouvez même en être atteint depuis longtemps, sans le savoir, puisqu'il n'entraîne pas toujours de symptômes ; les méfaits qu'il occasionne sur votre santé se préparent donc en silence. Le syndrome métabolique augmente notamment votre risque de diabète, d'AVC, d'infarctus du myocarde, de plusieurs maladies cardiovasculaires et de mort prématurée. Vous en êtes atteint si vous répondez à au moins trois de ces critères :

- une obésité abdominale ;
- une haute tension artérielle ;
- un taux élevé de triglycérides ;
- un faible taux de cholestérol HDL ;
- un taux élevé de glucose sanguin.

La sédentarité est l'un des principaux facteurs de risque du syndrome métabolique. Voici quelques moyens pour désamorcer cette bombe à retardement dont les conséquences sont parfois mortelles.

1. Gardez la ligne

Une saine alimentation fait de petits miracles pour prévenir l'obésité abdominale et calmer l'enthousiasme du syndrome

métabolique. Par exemple, mangez moins gras, moins sucré, évitez la malbouffe ou optez pour un régime méditerranéen. D'ailleurs, les personnes obèses satisferaient trente-deux fois plus souvent les critères diagnostiques de ce problème de santé que la population générale.

2. Méfiez-vous de votre chaise

Les excès alimentaires ne sont pas les seuls facteurs qui font exploser votre risque de syndrome métabolique. Méfiez-vous aussi de votre chaise si vous passez vos journées en position assise, même si vous soignez votre alimentation et que vous pratiquez régulièrement une activité physique. En effet, les personnes les plus sédentaires de la société ont un risque 73 % plus élevé de contracter le syndrome métabolique. Diminuer d'une heure le temps que vous consacrez à la position assise vous permettrait de réduire ce risque de 9 %. C'est du moins la conclusion d'une étude réalisée auprès de plus de 5000 personnes par des chercheurs de l'Université du Wisconsin. Et si vous souhaitez diminuer encore davantage votre risque, réduisez particulièrement le temps passé devant la télévision. Chaque heure en moins abaisserait la prévalence de 26 % du syndrome métabolique.

3. Appuyez sur le bouton « pause »

Faire des pauses de la position assise serait bénéfique pour diminuer votre risque de syndrome métabolique si vous consacrez ce temps à une activité physique de faible intensité, que ce soit marcher jusqu'au photocopieur ou faire le tour de la maison. Cela favoriserait :

- un taux de glucose sanguin moins élevé ;
- un meilleur profil lipidique ;
- une diminution du tour de taille ;
- une réduction de l'indice de masse corporelle.

Plusieurs courtes pauses sembleraient d'ailleurs plus efficaces qu'une seule plus longue. Souvenez-vous cependant que le simple fait de vous lever ne change rien à votre risque de syndrome métabolique ; il est nécessaire de bouger.

4. Joignez-vous au club

L'activité physique vous prémunit contre le syndrome métabolique. Par exemple, un programme d'exercices aérobiques de 20 semaines diminuerait votre risque de 31 %. Les plus bas taux de syndrome métabolique se trouvent chez les personnes qui pratiquent de 120 à 180 minutes par semaine d'activité physique d'intensité modérée ou soutenue. Cela vous semble hors de portée ? Inscrivez-vous à un club de marche ou de course à pied. Les membres de ces clubs atteignent facilement de tels volumes d'activité physique, sans être des athlètes d'élite pour autant.

Les plus bas taux de syndrome métabolique se trouvent chez les personnes qui pratiquent de 120 à 180 minutes par semaine d'activité physique d'intensité modérée ou soutenue.

5. Prenez l'escalier

Votre risque d'avoir le syndrome métabolique est plus que doublé en présence d'une moins bonne capacité cardiorespiratoire. Une façon simple de la préserver est d'utiliser régulièrement l'escalier. Montez-le systématiquement plutôt que de prendre l'ascenseur ou utilisez-le pendant au moins 20 minutes à raison de 3 fois par semaine, comme s'il s'agissait d'un appareil d'entraînement. Adaptez le niveau de difficulté à votre condition physique et assurez-vous également que la vitesse avec laquelle vous montez l'escalier est suffisamment élevée pour que vous ne soyez pas capable de chanter.

ENVOYEZ PROMENER LE CANCER

LOUPER SON RENDEZ-VOUS

Il y a des rendez-vous qu'on préfère louper, comme celui qu'on risque d'avoir avec le cancer. Et les chiffres sont frappants à cet égard : une personne sur deux en contractera au moins un dans sa vie selon la Société canadienne du cancer. Éviter de fumer est une bonne façon de déjouer cette statistique. En effet, les fumeurs ont approximativement vingt fois plus de risque de contracter la maladie que les non-fumeurs, notamment en raison du cancer du poumon. Or, la sédentarité vous prédispose aussi à plusieurs types de cancers, notamment celui du côlon. Les probabilités de l'avoir sont d'environ 30 % plus élevées chez les personnes qui travaillent en position assise, indépendamment de leur niveau d'activité physique. D'autres types de cancers sont également associés à la sédentarité, comme celui du sein. Les femmes qui travaillent en position assise seraient plus à risque, particulièrement si elles sont âgées de moins de 55 ans ou si elles ne sont pas ménopausées. Bien entendu, la prévalence du cancer est influencée par plusieurs autres facteurs qui diffèrent selon des paramètres individuels, comme l'âge, le sexe, le profil génétique, l'alimentation et le style de vie.

L'ACTIVITÉ PHYSIQUE ET LA DIMINUTION DU RISQUE

Selon les résultats d'une méta-analyse réalisée par Steven Moore et son équipe auprès de 1,44 million de personnes, l'activité physique diminuerait le risque de treize types de cancers parmi les vingt-six qui ont été étudiés. L'ampleur de l'effet protecteur plafonnerait toutefois lorsque vous dépassez les recommandations en matière d'activité physique, soit 150 minutes par semaine. En ce qui concerne le cancer du sein, l'activité physique réduirait également le risque de récidive, que la personne ait commencé à pratiquer une activité physique avant ou après le diagnostic. Sachez aussi que l'activité physique réalisée durant les loisirs réduirait votre risque de cancer de 7 %, tous types confondus, même si vous êtes sédentaire à votre travail.

TYPES DE CANCERS	Réduction du risque
Œsophage	42 %
Foie	27 %
Poumon	26 %
Rein	23 %
Estomac	22 %
Endomètre	21 %
Leucémie myéloblastique	20 %
Myélome	17 %
Côlon	16 %
Tête et cou	15 %
Rectum	13 %
Vessie	13 %
Sein	10 %

Réduction du risque de certains cancers grâce à l'activité physique

DÉMYSTIFIEZ LES LIENS ENTRE SÉDENTARITÉ ET OBÉSITÉ

TROIS QUESTIONS

Il est clairement établi que les surplus de tissus adipeux déséquilibrent plusieurs systèmes du corps humain et instaurent un terreau propice à des problèmes de santé. L'obésité est notamment associée à une longue liste de problèmes musculosquelettiques, comme l'arthrose et les douleurs chroniques au bas du dos. Plusieurs questions me sont régulièrement posées par mes patients et par les internautes en ce qui concerne les liens entre la sédentarité et l'obésité, dont celles-ci :

> Suis-je plus à risque d'obésité parce que je passe mes journées en position assise ?
> J'ai décidé d'être moins souvent assis pour améliorer ma santé malgré mon obésité. Est-ce vraiment utile ?
> Je suis obèse et je souhaite perdre du poids. Puis-je y arriver simplement en diminuant le temps que je passe en position assise ?

De nombreux chercheurs se sont penchés sur ces questions, qui intéressent d'ailleurs bon nombre de professionnels de la santé. Voici quelques-unes de leurs conclusions.

LA POSITION ASSISE PROLONGÉE EST-ELLE ASSOCIÉE À L'OBÉSITÉ ?

De façon générale, la position assise n'augmente pas votre risque d'obésité, du moins lorsque l'ensemble de vos comportements est pris en compte. Ce serait plutôt un manque d'activité physique qui vous expose à l'augmentation de votre indice de masse corporelle (IMC).

C'est logique, puisque vous pouvez passer vos journées en position assise et tout de même consacrer plusieurs heures par semaine à des activités physiques qui vous protègent de l'obésité.

La position assise a des influences différentes sur votre IMC selon le contexte dans lequel elle est utilisée.

La position assise a toutefois des influences différentes sur votre IMC selon le contexte dans lequel elle est utilisée. Par exemple, le nombre d'heures d'écoute de télévision est corrélé avec l'obésité, alors que le temps passé devant votre ordinateur et la sédentarité au boulot ne le sont pas, du moins si vous travaillez en deçà de 40 heures par semaine. Bien sûr, d'autres facteurs doivent aussi être considérés en ce qui concerne le risque d'obésité, comme l'alimentation et la consommation d'alcool.

LE FAIT D'ÊTRE MOINS SÉDENTAIRE AMÉLIORE-T-IL LA SANTÉ DES PERSONNES OBÈSES ?

Il semblerait que le fait d'être moins souvent assis et de marcher régulièrement ait un effet protecteur sur la santé des personnes obèses, du moins selon Belle de Rooij et son équipe. Ces chercheurs de l'Université de Maastricht ont mené une étude afin de mesurer les comportements sédentaires et le niveau d'activité physique des personnes obèses et non obèses. Parmi les 2449 participants, 562 étaient obèses, dont près de 19 % étaient en bonne santé. Fait intéressant : les participants de l'étude qui étaient obèses et en bonne santé passaient moins de temps en position assise et marchaient davantage que les personnes obèses et en moins bonne santé. Les critères retenus pour évaluer la santé des participants étaient le tour de taille, la pression artérielle, la prise de médicaments ainsi que les taux sanguins de glucose, de triglycérides et de cholestérol.

> Les participants obèses et en bonne santé passaient moins de temps en position assise et marchaient davantage que les personnes obèses et en moins bonne santé.

D'autres études ont aussi démontré que les

personnes obèses en santé ont un risque inférieur de souffrir de certaines maladies que celles qui sont en moins bonne santé. Ce risque demeure toutefois plus élevé que celui des personnes non obèses et en santé, notamment pour plusieurs types de cancers, le diabète de type 2, les maladies cardiovasculaires, l'arthrose et l'apnée du sommeil.

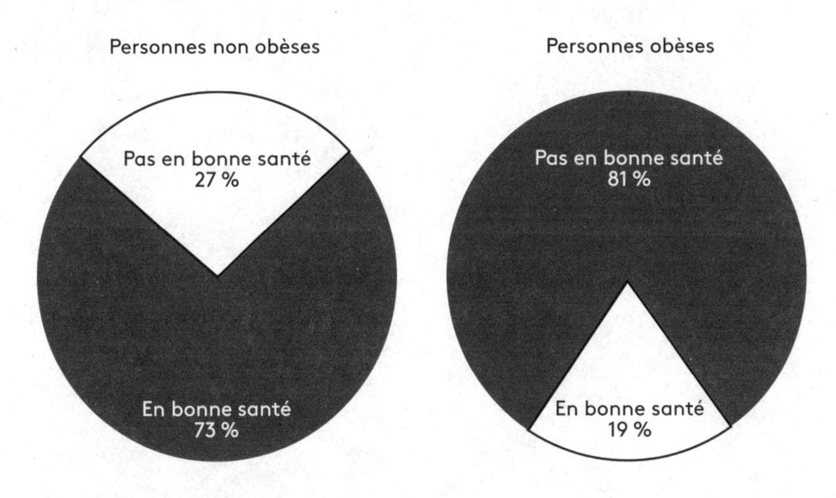

La santé et l'obésité

EN PRÉSENCE D'OBÉSITÉ, LE FAIT D'ÊTRE MOINS SOUVENT ASSIS FAVORISE-T-IL LA PERTE DE POIDS ?

La perte de poids apporte plusieurs bienfaits sur la santé des personnes obèses ou en surpoids, bien qu'elle soit rarement simple à concrétiser. Une équipe de l'École de médecine Feinberg de Chicago a observé les comportements de 459 personnes obèses et à risque d'arthrite. Celles qui avaient échangé de petites quantités de comportements sédentaires contre des activités physiques d'intensité modérée ou soutenue avaient perdu jusqu'à 4,5 kg durant une période de deux ans. Celles qui n'avaient pas procédé à ces changements avaient au contraire pris du poids. D'autres études ont également démontré que le fait de morceler de longues périodes de sédentarité au travail en optant pour la position debout permettrait de réduire l'indice de masse corporelle des personnes obèses, le tour de taille et le pourcentage de gras.

QUELLE EST LA DIFFÉRENCE ENTRE SURPOIDS ET OBÉSITÉ ?

Le surpoids et l'obésité ne sont pas des synonymes. Ils sont déterminés par une classification de l'indice de masse corporelle. Celle-ci se calcule en divisant votre poids par le carré de votre taille. Par exemple, si vous pesez 50 kg et mesurez 1,45 m, votre IMC se calcule ainsi :
50 / (1,45 X 1,45) = 23,8.
Voici les différentes classifications de l'indice de masse corporelle :
> 18,5 à 24,9 : poids santé
> 25 à 29,9 : surpoids
> 30 à 39,9 : obésité
> 40 et plus : obésité morbide

VOTRE CŒUR SE BAT POUR QUE VOUS BOUGIEZ

15 MILLIONS DE DÉCÈS

Les maladies cardiovasculaires représentent la première cause de mortalité à l'échelle planétaire. À eux seuls, les cardiopathies ischémiques (comme l'infarctus du myocarde) et les accidents vasculaires cérébraux ont entraîné quinze millions de décès durant l'année 2015, selon l'Organisation mondiale de la santé. Les maladies cardiovasculaires ne sont pas uniquement des alliées de la Grande Faucheuse. Elles sont également associées à des problèmes de santé chroniques. Elles peuvent en outre être causées par un caillot, une bactérie, une malformation ou une réduction de l'espace à l'intérieur des artères.

Vous devriez peut-être ressentir un petit pincement au cœur, au propre comme au figuré, lorsque vous adoptez quotidiennement la position assise de façon prolongée. Celle-ci accroît votre risque de maladies cardiovasculaires jusqu'à 147 % et elle diminue vos chances d'y survivre, indépendamment du temps que vous consacrez aux activités physiques durant vos loisirs. Ces effets de la position assise s'expliqueraient notamment par une augmentation du degré d'inflammation chronique et par une plus grande résistance à l'insuline, toutes deux causées par la sédentarité. Votre risque d'être atteint d'une maladie cardiovasculaire serait toutefois atténué si vous êtes assis moins de 10 heures par jour et si vous maintenez une bonne capacité cardiorespiratoire. L'importance de maintenir cette capacité a été soulignée par les travaux de Silvana B. Sandbakk et son équipe, qui ont établi

4 CONSEILS POUR DIMINUER VOTRE RISQUE DE MALADIES CARDIOVASCULAIRES

> **Réallouez quotidiennement 30 minutes de sédentarité à des activités physiques, toutes catégories confondues.**
> **Stimulez votre capacité cardiorespiratoire en pratiquant des activités aérobiques, soit celles qui accélèrent le rythme de votre respiration, au moins 3 fois par semaine.**
> **Levez-vous plus souvent pendant au moins 5 minutes.**
> **Bougez régulièrement les jambes et le tronc, même en demeurant assis. De simples petits mouvements favorisent la circulation sanguine et contribuent à maintenir la santé de vos vaisseaux.**

que les personnes de plus de 70 ans qui ne démontrent pas une bonne capacité cardiorespiratoire ont un risque de maladies cardiovasculaires multiplié jusqu'à 7,7 fois.

COMME DANS UN AVION

Au début d'un long vol, certaines compagnies aériennes vous présentent une liste d'exercices à faire régulièrement jusqu'à votre arrivée. C'est loin d'être inutile, puisque le risque de thrombose serait multiplié par quatre, au plus, après avoir effectué un vol de longue durée. Ces conséquences sur la santé des vaisseaux sanguins peuvent aussi se manifester lorsque vous adoptez la position assise prolongée dans d'autres contextes qu'un vol d'avion, comme devant votre ordinateur ou durant un long déplacement en voiture. En plus d'augmenter votre risque de thrombose, la position assise prolongée aurait également des effets sur les parois de vos artères et vous prédisposerait à l'athérosclérose, comme en a récemment fait état l'équipe de Sophie Carter de l'Université de Liverpool John Moores. Cela se produirait parce que vos muscles ne se contractent pas, mais aussi en raison d'une circulation sanguine moindre, particulièrement aux membres inférieurs.

> La position assise prolongée accroît votre risque de maladies cardiovasculaires jusqu'à 147 % et elle diminue vos chances d'y survivre.

DES EFFETS JUSQU'À VOTRE CERVEAU

MOINS DE 2 HEURES PAR JOUR

Je dis à mes patients qu'être moins souvent assis et pratiquer régulièrement une activité physique est aussi bon pour les muscles que pour le cerveau. En effet, les conséquences de la position assise prolongée et du manque d'activité physique ne se limitent pas à votre cœur, à vos muscles et à vos vaisseaux sanguins. Elles affectent aussi votre cerveau. Na Zhu et son équipe l'ont démontré en évaluant le volume cérébral de 565 personnes ainsi que leur capacité cardiorespiratoire, mesurée sur un tapis roulant. Cinq ans plus tard, les participants ayant maintenu une bonne capacité cardiorespiratoire avaient un cerveau en meilleure santé et d'un plus grand volume. Nanna Arnardottir et son équipe ont quant à eux démontré que les comportements sédentaires étaient associés à une diminution du volume cérébral, indépendamment du niveau d'activité physique.

Le bien-être psychologique et la santé mentale peuvent également être affectés par la position assise prolongée, en raison des changements physiologiques qu'elle provoque au cerveau, mais aussi de l'isolement social auquel les personnes sédentaires font face, du moins dans les cas extrêmes. Par exemple, regarder quotidiennement plus de 6 heures de télévision augmenterait le risque de symptômes dépressifs. De faibles doses d'activité physique sont par ailleurs associées à de moins bonnes fonctions cognitives comme la planification, la mémoire et la coordination, bien que cette association soit complexe et dépende de plusieurs autres variables. Afin de préserver une bonne santé cognitive, Ryan S. Falck et son équipe de l'Université de la Colombie-Britannique recommandent de limiter à 2 heures par jour le temps consacré aux comportements sédentaires et de pratiquer au moins 150 minutes par semaine d'activité physique d'intensité modérée ou soutenue.

LA MALADIE D'ALZHEIMER

On se sent souvent impuissant quant au risque de développer la maladie d'Alzheimer, dont la prévalence doublera d'ici les vingt prochaines années. Pourtant, nos comportements influencent plusieurs facteurs de risque de cette maladie.

> **Les personnes âgées de 70 à 80 ans qui atteignent les recommandations quant à la pratique d'activité physique pendant une durée minimale de cinq ans ont un risque de développer la maladie d'Alzheimer diminué de 40 %.**

Le manque d'activité physique serait le plus important d'entre eux, et certaines estimations le lient à près de 22 % des cas. Les autres facteurs de risque incluent en outre la cigarette, la consommation d'alcool, l'indice de masse corporelle, le profil génétique ainsi que les taux de cholestérol et de glucose sanguins.

L'activité physique pourrait même retarder l'apparition des premiers symptômes de la maladie. Elle contribuerait en effet à réduire les stress oxydatifs et le degré d'inflammation chronique, et favoriserait la santé de l'hippocampe, une région du cerveau qui est essentielle à la mémoire. Alejandro Santos-Lozano et son équipe ont démontré que les personnes âgées de 70 à 80 ans qui atteignent les recommandations quant à la pratique d'activité physique pendant une durée minimale de cinq ans ont un risque de développer la maladie diminué de 40 %. Malheureusement, les personnes à risque ont souvent des taux de participation à une activité physique largement en deçà de la moyenne de la population. Il faut donc les encourager à bouger plus souvent, d'autant plus que l'activité physique pourrait avoir des bienfaits même si ces personnes ont déjà la maladie, du moins à la lumière d'études réalisées sur des souris.

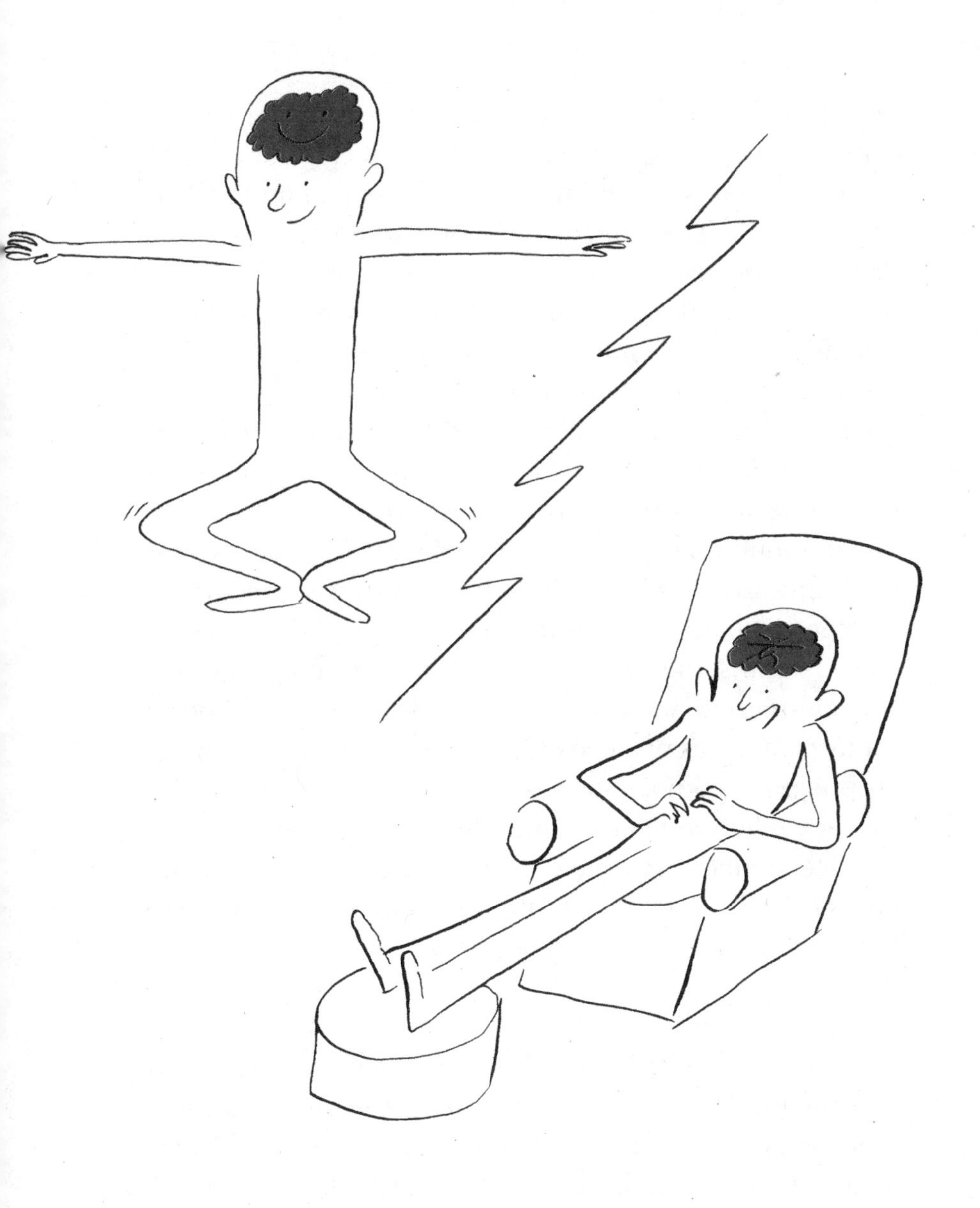

QUE SE PASSE-T-IL AVEC VOS CELLULES LORSQUE VOUS NE BOUGEZ PAS ?

UNE CASCADE D'ÉVÉNEMENTS

Qui souhaiterait à ses proches (ou à soi-même) de subir un arrêt cardiaque ? Le cœur, on y tient. C'est une question de survie. Pourtant, on impose régulièrement au corps des « arrêts musculaires » en demeurant assis durant une grande partie de la journée. Il est vrai qu'on ne meurt pas sur le coup de ces absences de contractions, et celles-ci peuvent d'ailleurs sembler complètement inoffensives. Or, la science a démontré récemment qu'elles entraînent une cascade d'événements dont les répercussions se font sentir dans tout votre corps. Ceux-ci incluent une réduction de l'activité de vos mitochondries, une augmentation du taux de glucose dans le sang, une diminution de production de myokines et une élévation chronique des taux d'insuline, dont les conséquences ne se limitent d'ailleurs pas au diabète de type 2. Cette cascade d'événements augmente notamment votre risque de mort prématurée, elle vous prédispose à plusieurs problèmes de santé, comme les maladies cardiovasculaires, et elle favorise les processus pathologiques à l'origine de plusieurs types de cancers. Elle serait également influencée par des considérations génétiques : il y aurait des génotypes plus sensibles aux effets négatifs de la sédentarité, entre autres quant à la résistance à l'insuline.

UNE ENZYME QUI PEUT S'ENDORMIR

Il y a des noms difficiles à retenir, comme celui de la lipoprotéine lipase. Toutefois, cette enzyme mérite que vous mémorisiez le sien, car elle a tout pour devenir votre meilleure amie et pour vous aider à contrer les effets de la sédentarité. Lorsqu'elle s'active, elle améliore la capacité de votre corps à dégrader et à assimiler les graisses, et vous bénéficiez de meilleurs taux de triglycérides, d'insuline et de cholestérol HDL.

Or, ce sont les contractions musculaires et l'activité physique qui stimulent la lipoprotéine lipase. Des études effectuées sur des muscles de rats ont d'ailleurs démontré que même de bas niveaux d'activité physique, ce qui correspond à de simples mouvements de la vie quotidienne, maintiennent la vigueur de la lipoprotéine lipase jusqu'à vingt fois au-dessus de ceux associés à la sédentarité.

En l'absence de contraction musculaire, la lipoprotéine lipase s'engourdit et vous expose à un risque accru de diabète de type 2, de syndrome métabolique et de mort prématurée, et elle multiplie par cinq vos probabilités de souffrir d'une maladie du cœur.

LE DÉSÉQUILIBRE ÉNERGÉTIQUE

La sédentarité menace l'équilibre qui prévaut entre votre dépense énergétique et les calories que vous ingérez, particulièrement si votre niveau d'activité physique est faible. Cette situation entraîne notamment un stockage de gras sous votre peau, autour de vos organes et dans vos muscles. Les conséquences d'un tel excès vont bien au-delà d'une augmentation de surcharge pondérale sur vos articulations. Elles sont en outre associées à plusieurs désordres métaboliques, dont la présence d'inflammation chronique.

Quel est le lien entre l'excès de gras et l'inflammation ? Les adipokines. Elles sont des messagers chimiques libérés par le tissu adipeux et sont impliquées, entre autres, dans la régulation de l'inflammation, de la pression artérielle et de l'appétit. Un excès de tissu adipeux augmente les taux d'adipokines et vous prédispose à l'inflammation chronique, au diabète de type 2, à l'athérosclérose et augmente votre risque de thrombose, pour ne nommer que quelques effets.

Le fait d'être moins sédentaire et de pratiquer régulièrement une activité physique accroît à la fois votre dépense énergétique et réduit vos taux d'adipokines. Par exemple, un entraînement combiné d'aérobie et d'exercices de résistance protégerait les personnes obèses de l'inflammation chronique, en plus d'augmenter leur force musculaire, leur capacité cardiorespiratoire et de diminuer leurs taux de certaines adipokines, comme la résistine et la leptine.

L'INFLAMMATION DANS TOUS SES ÉTATS

L'inflammation est un phénomène normal et indispensable à la vie humaine. Elle vous permet, entre autres, de vous défendre contre les infections, les blessures ou toute autre situation que votre corps considère comme une agression. C'est grâce à l'inflammation si vos tissus peuvent se réparer, se cicatriser et se renouveler. Par exemple, les processus inflammatoires modifient la perméabilité de vos vaisseaux sanguins afin de laisser passer plus facilement certaines molécules. En quelque sorte, l'inflammation représente un état d'urgence qui est décrété au moment opportun, de façon locale ou dans l'ensemble de votre corps. Lorsque la blessure (ou l'agression) est sous contrôle ou en voie de guérison, l'état d'urgence est levé et votre corps doit mettre fin progressivement au processus inflammatoire. Cependant, le contrôle de l'inflammation ne s'effectue pas à l'aide d'un bouton *on/off*, mais plutôt par un système qui s'apparente davantage à un gradateur en faisant appel à des mécanismes complexes qui utilisent notamment une collection de molécules pro- et anti-inflammatoires.

La sédentarité serait associée à des degrés plus élevés d'inflammation, comme si le gradateur n'arrivait pas à interrompre complètement les processus inflammatoires. Cette situation peut avoir des conséquences graves. Par exemple, chaque heure supplémentaire passée devant la télévision augmente votre risque de décès causé par une maladie liée à un problème inflammatoire, comme une maladie des poumons ou du foie. L'inflammation devient alors une menace pour votre santé en s'attaquant en outre à vos organes vitaux et à vos vaisseaux sanguins.

RESTEZ MOTIVÉ

L'ANTI-LAPIN

Vous êtes probablement d'accord pour rompre votre liaison dangereuse avec la chaise et vous activer davantage. Ce n'est malheureusement pas si simple à faire, malgré toute la bonne volonté du monde. Mais par où commencer ? Une des pistes les plus intéressantes est de prendre soin de votre motivation à bouger. Celle-ci représente une clé indispensable pour éviter de renvoyer aux calendes grecques ces changements d'habitudes salutaires. La motivation n'est pas un lapin qui sort d'un chapeau comme par magie ; elle s'anime plutôt grâce à une mécanique éprouvée qui doit être entretenue minutieusement en appliquant des règles faciles à mettre en pratique.

RÈGLE 1 : COMBLEZ VOS BESOINS D'ÉPANOUISSEMENT

UN TRIO DU TONNERRE

Les curares sont des médicaments qui paralysent chaque muscle de votre corps. Ils sont notamment administrés aux soins intensifs lors d'intubation ou d'anesthésie. Chaque fois que je mobilise les articulations de mes patients curarisés dont les muscles sont privés de leurs capacités, je réalise à quel point le mouvement fait intrinsèquement partie de notre existence. Si on ne peut pas bouger, on ne peut rien faire, en commençant par répondre à nos besoins vitaux, comme boire et manger, mais aussi à nos besoins d'épanouissement personnel. Ce sont d'ailleurs ces derniers qui sont la pierre angulaire de la motivation, et il faut impérativement que vous en teniez compte dans le choix et l'organisation de vos activités physiques et de vos nouvelles habitudes. Lorsqu'au moins un d'entre eux est assouvi, votre motivation est décuplée.

Voici trois de ces principaux besoins.

AFFIRMER SON AUTONOMIE

L'activité physique est une bonne façon de répondre à votre besoin d'autonomie puisque vous êtes généralement libre de bouger et de vous déplacer, un fait qui est souvent tenu pour acquis. Vos mouvements sont pourtant une source de grande liberté. Celle-ci se manifeste par une sensation de bien-être, entre autres pendant une promenade en plein air ou après un entraînement intensif. Vous pouvez aussi satisfaire votre besoin d'autonomie lorsqu'une activité est imposée (exemple : une recommandation de votre médecin), en choisissant au moins un des paramètres de l'activité, que ce soit sa durée, sa fréquence, sa localisation ou la personne avec qui vous la pratiquez.

Lorsqu'au moins un de vos besoins d'épanouissement personnel est assouvi, votre motivation est décuplée.

S'ACCOMPLIR

Le sentiment d'accomplissement est une précieuse source de satisfaction personnelle. Il est important qu'une activité physique vous offre des conditions propices à cet égard, sinon elle s'avère généralement malsaine et elle affaiblit votre estime de soi et votre motivation. Demeurez donc à l'affût de vos réussites et ne soyez pas trop modeste quand vient le temps de les mesurer.

TISSER DES LIENS

Les liens sociaux vous permettent d'acquérir un sentiment d'appartenance. Ils sont aussi un prétexte à des manifestations de solidarité qui fidélisent vos comportements dans un contexte d'activité physique. La popularité des clubs de marche et de course en est une preuve éloquente. Un groupe n'est pas le seul vecteur de liens sociaux ; ceux-ci se tissent également grâce à des discussions ponctuelles ou à de simples gestes avec un partenaire ou avec des personnes rencontrées durant une activité.

RÈGLE 2 : VEILLEZ AU GRAIN À CHAQUE ÉTAPE DE LA MOTIVATION

La motivation se compare à la préparation d'un pain. Personne n'arrive à en confectionner un en inversant les étapes de la recette ou en oubliant d'en réaliser une. Le pétrissage et la levée doivent avoir lieu au bon moment. Sinon, c'est une galette que vous sortirez du four plutôt qu'une miche bien ronde. Le même principe s'applique à la motivation, qui évolue dans le temps selon un cycle qui ponctue vos comportements. Il faut donc que vous soyez vigilant à chacune de ces étapes.

LE CYCLE DE LA MOTIVATION

LA PREMIÈRE ÉTINCELLE

LA PÉRIODE ÉLASTIQUE

Janvier 20
LES PIEDS
DANS L'ACTION
CULTIVEZ LE P'TIT GOÛT
DE REVENEZ-Y

LA PREMIÈRE ÉTINCELLE

On change plus facilement un comportement après avoir été influencé par un élément déclencheur. Que vous le définissiez comme un coup de pouce ou une douche froide, il est un atout précieux pour modifier vos habitudes de vie. Pour certains de mes patients, cette étincelle est apparue après l'annonce d'un diagnostic, comme un diabète ou de l'arthrose sévère. Elle peut aussi être générée par un moment heureux, comme une rencontre marquante, la lecture d'un livre ou simplement une invitation ponctuelle d'un ami à participer à une activité physique.

LA PÉRIODE ÉLASTIQUE

Il n'est pas toujours simple de passer de la parole aux actes quand vient le temps de participer à une activité physique ou de modifier vos habitudes, d'autant plus que le destin semble parfois se mettre de la partie pour vous compliquer l'existence. La période élastique correspond au temps qui s'écoule entre la première étincelle et le début de l'activité. Réduisez-la au minimum afin de protéger votre motivation de la panne sèche.

LES PIEDS DANS L'ACTION

Pour vous aider à soutenir votre motivation lorsque vous êtes dans l'action, adaptez le niveau d'effort à vos capacités, prenez soin des circonstances dans lesquelles vous pratiquez l'activité et veillez à ce qu'elles répondent à vos attentes. Par exemple, si l'intensité de l'activité physique est trop élevée, il est probable que vous y mettiez fin prématurément. Un autre exemple qui concerne plutôt la motivation à un changement d'habitude : il est souvent plus encourageant de diminuer progressivement le

> Un des moyens les plus efficaces de soutenir votre motivation consiste à faire une activité que vous aimez.

temps que vous consacrez à la position assise prolongée plutôt que de le faire de façon draconienne. La proximité de l'endroit où se tient une activité, la compatibilité avec votre horaire et les personnes avec qui vous la pratiquez peuvent également influencer votre motivation.

CULTIVEZ LE P'TIT GOÛT DE REVENEZ-Y

Ma tante Hélène offrait à ceux qui lui rendaient visite un morceau de sucre à la crème auquel il était impossible de résister. On en redemandait, car il y avait dans cette gâterie un je-ne-sais-quoi qui incitait à renouveler l'expérience gustative.

La motivation à répéter une activité est également renforcée par un petit goût de revenez-y, ce plaisir grâce auquel vous parviendrez plus facilement à l'intégrer à vos habitudes de vie. Cette répétition permet de boucler le cycle de la motivation et de profiter pleinement des bienfaits de l'activité physique sur votre santé.

RÈGLE 3 : METTEZ LE PLAISIR AU PREMIER PLAN

Un des moyens les plus efficaces de soutenir votre motivation consiste à faire une activité que vous aimez, qui correspond à vos intérêts personnels et durant laquelle vous vous sentez bien. La suggestion peut paraître trop simple pour fonctionner, mais il a été démontré que cela augmente considérablement vos chances de persévérer dans la pratique d'une activité.

Voici des conseils qui vous aideront à cultiver le plaisir et à soutenir une forme de motivation que les scientifiques appellent « la motivation intrinsèque ».

- Soyez indulgent envers vous-même et prenez soin de vous. Les personnes qui le font éprouvent généralement un degré plus élevé de motivation et elles sont moins portées à vivre un sentiment d'échec.

> Laissez-vous gagner par les émotions positives, comme la joie, l'admiration, la fierté, etc. Des chercheurs sud-coréens ont démontré qu'elles sont associées à une plus grande sensation d'autonomie et à un meilleur engagement dans l'activité.
> Faites l'activité en plein air. On sous-estime trop souvent les effets de la nature sur le bien-être, l'humeur et la motivation à bouger.

RÈGLE 4 : TIREZ SUR LES BONNES FICELLES

QUAND LE PLAISIR NE SUFFIT PAS

Plusieurs de mes patients n'éprouvent aucun plaisir à faire des exercices ou une activité physique régulièrement, mais ils y parviennent sans trop de difficulté en faisant appel à leurs valeurs, à leur environnement, aux personnes qui les entourent et en contrôlant certaines circonstances de l'activité. Les chercheurs disent que ces stratégies font partie de la motivation extrinsèque. Mettez-les en pratique en tenant compte de vos objectifs, des bénéfices que l'activité vous apporte, des récompenses qui y sont associées ou des éléments que vous souhaitez éviter.

VISEZ UN OBJECTIF

Vous participez à l'activité physique pour atteindre un objectif que vous vous êtes fixé. Celui-ci peut viser un résultat ou un comportement, comme un gain de force, une perte de quelques kilos ou le souhait de vous entraîner trois fois par semaine. Votre motivation sera bonifiée lorsque vous aurez atteint votre objectif, en partie ou en totalité.

RÉCOLTEZ DES BÉNÉFICES

Vous ne vous êtes pas fixé d'objectif, mais vous savez que l'activité vous permettra d'améliorer votre qualité de vie ou de faire quelque chose qui vous serait autrement impossible. Par exemple, vous nagez 30 minutes par jour, non pas par plaisir, mais plutôt parce que cela améliore votre concentration au travail. Le fait de trouver des bénéfices à une activité et de leur accorder de la valeur augmente considérablement votre motivation.

RÉCOMPENSEZ-VOUS

Vous vous offrez une récompense après avoir réalisé votre activité physique, comme un dîner partagé avec vos partenaires de sport, ou lorsque vous avez atteint votre objectif (exemple : franchir 10000 pas par jour durant 1 mois).

TIREZ PROFIT DE L'ÉPÉE DE DAMOCLÈS

Vous pratiquez une activité physique pour éviter un sentiment de culpabilité, un danger éventuel pour votre santé ou une situation que vous ne désirez pas, comme prendre du poids ou vous sentir coupable de ne pas bouger suffisamment. Ce n'est évidemment pas la façon la plus positive de stimuler votre motivation, mais, parfois, cela peut constituer la première étape pour intégrer de nouvelles habitudes.

LE CAS PARTICULIER DE LA DOULEUR CHRONIQUE

On pourrait croire que la douleur est une source de motivation à bouger. Or, si vous pratiquez une activité physique dans le seul but de diminuer une douleur chronique, vous pourriez avoir de la difficulté à soutenir votre motivation si vous n'atteignez pas rapidement votre but. Pourquoi ? La douleur chronique est associée à des tentatives de soulagement qui ont été infructueuses. Ce cercle vicieux court-circuite l'association positive entre vos actions et les résultats, une situation qui affaiblit considérablement votre motivation.

La douleur peut aussi perturber vos émotions – changements d'humeur, anxiété ou signes de dépression –, ce qui risque de diminuer votre motivation. En d'autres mots, la douleur use le moral, et c'est bien logique. La science a d'ailleurs prouvé qu'il existe dans votre cerveau des connexions entre la douleur chronique, les émotions et les systèmes de récompenses associés à la motivation.

Voici 4 façons d'améliorer votre motivation en présence de douleur chronique.

> Fixez-vous des objectifs mesurables qui ne sont pas liés à la douleur, mais à vos capacités fonctionnelles, comme réaliser une tâche ménagère ou pouvoir rester debout pour une durée déterminée.
> Évitez la fatigue et le surmenage, qui altèrent votre motivation.
> Déjouez la kinésiophobie, soit la peur de bouger. Celle-ci est présente lorsque des mouvements ou des activités ont été associés à répétition à de la douleur. Pour arriver à mieux contrôler cette peur, réalisez des activités physiques dont le niveau d'effort est bien en deçà de vos capacités. La marche aquatique et les exercices faits au sol sont de bonnes options.
> Traitez la catastrophisation. Il s'agit d'une forme d'anxiété qui impose à votre esprit des scénarios catastrophes. Elle est notamment observée dans un contexte de douleur et elle requiert l'aide d'un professionnel de la santé, comme un psychologue ou un psychothérapeute.

Il existe dans votre cerveau des connexions entre la douleur chronique, les émotions et les systèmes de récompenses.

ÉVALUEZ VOTRE DEGRÉ DE MOTIVATION POUR UNE ACTIVITÉ PHYSIQUE

Voici un test qui vous permettra d'évaluer votre degré de motivation pour une activité. Il s'appuie sur les quatre règles présentées dans les pages précédentes. Cochez les cases correspondant à votre réalité, puis comptez les points que vous avez accumulés.

Règle 1 : comblez vos besoins d'épanouissement

> L'activité est-elle associée à un sentiment de liberté ?
☐ non (0) ☐ plus ou moins (5) ☐ oui (15)

> L'activité génère-t-elle un sentiment d'accomplissement ?
☐ non (0) ☐ plus ou moins (5) ☐ oui (15)

> L'activité vous permet-elle d'être en relation avec les autres ?
☐ non (0) ☐ plus ou moins (5) ☐ oui (15)

Règle 2 : veillez au grain à chaque étape de la motivation

> Avez-vous identifié une première étincelle ?
☐ non (0) ☐ oui (5)

> La période élastique a-t-elle duré moins d'un mois ?
☐ non (0) ☐ oui (5)

> Terminez-vous chaque fois l'activité ?
☐ non (0) ☐ oui (10)

> Respectez-vous la fréquence que vous vous êtes fixée ?
☐ non (0) ☐ oui (10)

Règle 3 : mettez le plaisir au premier plan

> L'activité vous rend-elle heureux ? Avez-vous du plaisir à la pratiquer ?
> ☐ non (0) ☐ plus ou moins (20) ☐ oui (50)

Règle 4 : tirez sur les bonnes ficelles

> L'activité répond-elle aux objectifs que vous vous êtes fixés ?
> ☐ non (0) ☐ plus ou moins (5) ☐ oui (15)

> L'activité vous permet-elle de récolter des bénéfices qui vous seront utiles ultérieurement ?
> ☐ non (0) ☐ plus ou moins (5) ☐ oui (15)

> L'activité est-elle associée à une récompense ?
> ☐ non (0) ☐ plus ou moins (5) ☐ oui (15)

> L'activité vous permet-elle d'éviter des situations désagréables ?
> ☐ non (0) ☐ plus ou moins (5) ☐ oui (15)

INTERPRÉTATION

Moins de 60 : votre motivation risque d'être difficile à soutenir. Suivez les conseils de cette section du livre pour améliorer votre motivation à changer un comportement ou à pratiquer une activité physique.
De 60 à 100 : votre motivation pour l'activité est bonne, mais elle gagnerait à être plus élevée. Trouvez les points les plus faibles et mettez en pratique les conseils spécifiques à chacun d'eux.
Plus de 100 : votre motivation pour l'activité est élevée. Prenez-en soin et réévaluez-la régulièrement pour vous assurer qu'elle ne faiblit pas.

7 TRUCS POUR SOUTENIR VOTRE MOTIVATION

1. ADAPTEZ VOS ATTENTES

Un excès d'enthousiasme entraîne parfois des attentes démesurées et difficiles à satisfaire. Soutenez votre motivation en les adaptant à vos capacités, à votre horaire et aux particularités de votre environnement. Souvenez-vous que même de courtes séances d'activité physique apportent des bienfaits et qu'il est plus facile de les répéter régulièrement.

2. CROYEZ EN VOS CAPACITÉS

L'efficacité personnelle (ou autoefficacité) est un concept qui semble tiré d'une thèse de doctorat, abstrait et loin des préoccupations du commun des mortels. Or, c'est tout le contraire. L'efficacité personnelle est l'un de vos atouts les plus précieux pour nourrir votre motivation. Il s'agit d'un sentiment qui vous permet de croire en vos capacités d'effectuer avec succès une tâche ou une activité. Certains motivateurs l'alimentent en une phrase : « *Let's go,* t'es capable ! »

Si vous démontrez un degré élevé d'efficacité personnelle, vous surmonterez plus facilement les obstacles, même lorsque vous ne bénéficiez pas du soutien de votre entourage. Pour acquérir ce sentiment, collectionnez les petits succès, répétez les expériences positives, identifiez-vous à mère Teresa, Laurent Duvernay-Tardif, Usain Bolt ou n'importe quelle personne qui vous inspire. Et méfiez-vous de la fatigue et de l'anxiété, qui altèrent significativement votre sentiment d'efficacité personnelle.

3. DÉTERMINEZ LES BIENFAITS DE L'ACTIVITÉ

Votre motivation est à la hausse lorsque vous connaissez les bienfaits d'une activité et que ceux-ci concernent votre santé et votre bien-être. Et cela vous aide à patienter lorsque ces bienfaits prennent du temps à se concrétiser, comme un gain de force musculaire ou une perte de poids.

4. ATTÉNUEZ LES SOURCES DE DÉMOTIVATION

Les sources de démotivation sont notamment liées à vos goûts personnels ou à certaines circonstances, comme la météo ou l'ambiance qui règne pendant une activité de groupe. Reconnaissez-les et trouvez des stratégies pour minimiser leurs effets. Par exemple, relativisez ce qui vous démotive en évitant d'y accorder trop d'importance.

5. SOYEZ RUSÉ

Il arrive que des barrières vous empêchent de pratiquer une activité physique, comme un état de santé fragile, une incompatibilité d'horaire ou une distance trop grande à franchir. Certaines d'entre elles peuvent être contournées, tandis que d'autres sont insurmontables. Dans ce cas, modifiez l'activité ou choisissez-en une autre plutôt que de laisser s'éteindre votre motivation.

6. MESUREZ VOS OBJECTIFS

L'atteinte d'un objectif mesurable nourrit votre motivation. Il est aussi plus facile à réajuster en cours de route. Il peut en outre concerner la durée de l'activité, votre état d'esprit ou un résultat à atteindre, comme une augmentation d'endurance ou de souplesse.

7. SOUVENEZ-VOUS DE LA PREMIÈRE ÉTINCELLE

Nous avons parfois tendance à oublier ce qui nous a incité à pratiquer une activité physique. L'élément déclencheur, ou la première étincelle, n'est pas seulement utile pour avoir un nouveau comportement, mais aussi pour soutenir votre motivation lorsqu'elle s'effrite.

L'ACTIVATION PHYSIQUE : ÇA COMMENCE AUJOURD'HUI

UN PAS À LA FOIS

Deux options s'offrent à vous lorsque vous souhaitez augmenter votre niveau d'activité physique afin de profiter pleinement des bienfaits sur votre santé. Vous pouvez diminuer le temps que vous passez en position assise en pratiquant une activité de faible intensité. La marche demeure souvent la façon la plus simple et la plus accessible d'y arriver, notamment parce qu'elle est peu coûteuse, qu'elle s'adapte à votre condition physique et qu'elle s'intègre facilement à l'ensemble de vos activités. Vous pouvez aussi augmenter votre niveau d'activité physique en consacrant plus de temps aux activités d'intensité modérée ou soutenue. Cela peut sembler évident, mais seuls un peu moins de 26 % des Canadiens y parviennent. Le Canada se classe d'ailleurs avant-dernier à cet égard parmi les pays du G7.

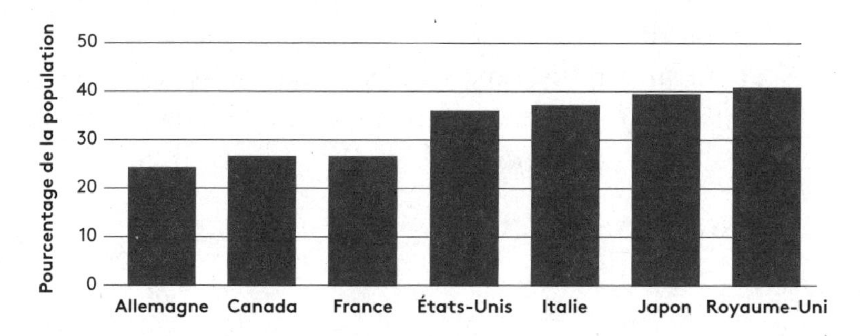

Pourcentage de la population pratiquant une activité physique d'intensité modérée ou soutenue dans les pays du G7

FAITES LES PREMIERS PAS

GAGNER LA LUTTE

Combien de pas effectuez-vous dans une journée ? Cette information peut sembler futile, mais le fait de comptabiliser vos pas est un moyen efficace de mesurer votre niveau d'activité physique et de gagner la lutte contre la sédentarité. Le calcul doit tenir compte de l'ensemble des pas que vous faites durant vos loisirs, votre vie sociale, vos déplacements, vos activités quotidiennes, vos activités sportives et votre travail.

Vous me direz que le nombre de pas que vous effectuez durant une journée représente une donnée difficile à estimer et à comparer, et vous aurez complètement raison. Voici quelques faits qui vous aideront à vous familiariser avec le concept du nombre de pas par jour.

- Les adultes les plus actifs en effectuent jusqu'à 20 000, et les plus sédentaires, moins de 4 000.
- Les personnes qui habitent un quartier où tout peut se faire à pied atteignent facilement 8 000 pas par jour, sans même y prêter une attention particulière.
- Le fait de conduire les enfants à l'école en voiture réduit quotidiennement le nombre de pas de 1 500 en moyenne.
- Mille pas correspondent approximativement à 10 minutes de marche à une vitesse modérée, c'est-à-dire qui vous permet de soutenir une conversation sans être à bout de souffle.
- Pour convertir le nombre de pas en une distance équivalente, il suffit de faire ce calcul : le nombre de pas effectués x 42 % de votre taille.

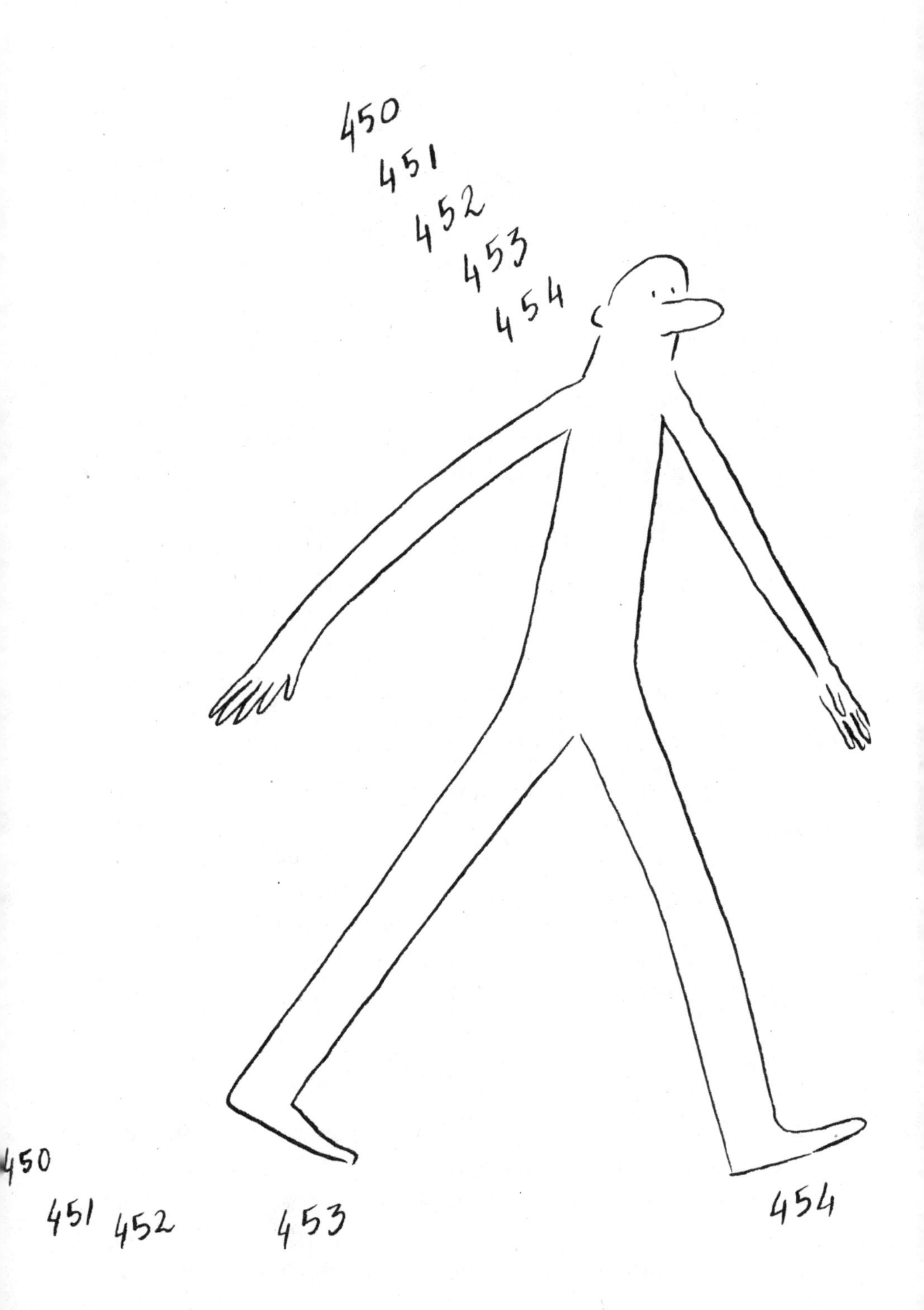
450
451
452
453
454
450
451
452
453
454

COMBIEN DE PAS PAR JOUR DEVRIEZ-VOUS EFFECTUER ?

En général, il est recommandé de franchir le seuil des 10000 pas par jour si vous êtes une personne active, et de commencer par un objectif plus modeste de 8 500 pas si vous êtes sédentaire. Il vous sera cependant impossible d'atteindre de telles cibles en ne marchant qu'à l'intérieur, comme au travail ou dans le cadre de vos activités quotidiennes. Pour y arriver, vous devrez ajouter à votre horaire des périodes consacrées à vos déplacements extérieurs, des marches de santé ou des activités sportives. Souvenez-vous que les personnes qui se fixent des objectifs élevés marchent davantage que celles aux objectifs plus modestes, que ceux-ci soient atteints ou non.

> Il est recommandé de franchir le seuil des 10000 pas par jour si vous êtes une personne active, ou de commencer par 8500 pas si vous êtes sédentaire.

Rien ne vous oblige toutefois à comptabiliser vos pas douze mois par année. Pour certaines personnes, il s'agit d'une démarche motivante, tandis que d'autres y voient une obsession contre-productive. Si l'idée de compter vos pas vous rebute, essayez ce compromis que je suggère fréquemment à mes patients : faites-le durant 2 semaines ou jusqu'à l'atteinte de vos objectifs, puis reprenez l'opération un mois plus tard afin de vérifier si vous avez maintenu vos acquis.

COMPTER SUR EUX

Le meilleur outil pour compter vos pas est le podomètre, qu'il soit mécanique ou électronique. Certains s'attachent à la ceinture, d'autres se portent dans la poche ou au poignet. Le simple fait d'en utiliser un aurait des effets positifs sur votre motivation et augmenterait le nombre de pas que vous franchissez quotidiennement de 20 % à 30 %, selon plusieurs chercheurs, dont Karen Croteau et son équipe de l'Université du Southern Maine. Les téléphones intelligents et les montres connectées offrent également des applications performantes qui comptent vos pas et combinent ces données à d'autres informations biométriques, comme votre fréquence cardiaque, votre taille et votre âge.

5 FAÇONS D'AUGMENTER VOTRE NIVEAU D'ACTIVITÉ PHYSIQUE

> Les activités quotidiennes : les travaux ménagers, la préparation des repas, le jardinage, l'entretien extérieur...
> Les déplacements : la marche, le vélo, le transport en commun...
> Les exercices faits à la maison : le yoga, les entraînements sur vidéo ou console, les programmes d'exercices...
> Les exercices structurés : les sports individuels et d'équipe, les clubs de marche, de course et autres...
> Certaines activités sociales : la danse, les visites touristiques à pied ou à vélo, certaines formes de bénévolat...

SACHEZ CHOISIR VOS CHAUSSURES

Il est essentiel pour la santé de vos pieds de marcher régulièrement sans chaussures. Or, celles-ci sont nécessaires pour la plupart de vos activités, et il est primordial de les choisir minutieusement. Voici 9 points à considérer pour y parvenir.

LE CONFORT

La chaussure vous semble confortable dès le premier essai. Ne croyez pas ceux qui vous disent qu'elle ne le sera que dans quelques semaines, après avoir supposément pris la forme de votre pied.

LE POIDS

Il est faible et occasionne donc une moins grande dépense énergétique. La meilleure façon d'estimer le poids d'une chaussure est de la comparer avec d'autres modèles. Quelques grammes peuvent faire une différence.

L'ADHÉRENCE DES SEMELLES

Elle est adaptée au type de marche que vous pratiquez ainsi qu'à la surface du sol et au dénivelé. Une adhérence trop élevée ou trop basse augmente inutilement l'effort musculaire et accroît votre risque de chute et de blessure.

LA HAUTEUR DE LA SEMELLE

Elle est basse. Une semelle trop haute élève votre centre de gravité, ce qui vous incite à surutiliser inutilement vos réactions d'équilibre.

LA SOUPLESSE DES MATÉRIAUX

La chaussure est suffisamment souple pour faciliter le déroulé du pied. Une façon simple de le vérifier : vous devez pouvoir la tordre et la plier facilement. Un peu moins de souplesse est préférable si vous utilisez la chaussure sur une surface inégale, comme lors d'une randonnée en montagne, de trekking ou si vous portez un sac à dos relativement lourd.

LE SUPPORT DE LA VOÛTE

La chaussure supporte votre voûte plantaire. Elle tient compte de sa hauteur, de sa largeur et ne cause pas de point de pression.

LA MOBILITÉ DE VOS ORTEILS ET DE VOTRE PIED

Les articulations de vos orteils et de votre pied peuvent bouger librement à l'intérieur de la chaussure, ce qui favorise une saine biomécanique du pied.

LA SANTÉ DE VOS PIEDS

La chaussure tient compte des déformations de vos orteils, de la douleur (passée ou actuelle) ou d'une perte de mobilité en raison d'une blessure antérieure.

LE TYPE D'ACTIVITÉ

Vous choisissez la chaussure selon les paramètres de l'activité que vous pratiquez, comme sa durée ou le type de sol sur lequel vous marchez ou courez.

UN REMÈDE ÉPROUVÉ

Depuis près de deux décennies, les recherches scientifiques ont clairement démontré les liens entre le nombre de pas franchis chaque jour et plusieurs aspects de la santé, comme la condition physique et la capacité cardiorespiratoire. D'ailleurs, le nombre de pas ne devrait-il pas être consigné au dossier médical au même titre que votre température, votre pression artérielle et votre poids ? Cette information serait certainement pertinente à la lumière des données probantes publiées depuis plusieurs années.

Voici quelques-uns des bienfaits associés à un nombre de pas élevé.

- Il vous protège contre l'athérosclérose.
- Il diminue la fréquence des hospitalisations.
- Il contribue à une saine sensibilité à l'insuline.
- Il réduit votre risque d'hypertension artérielle et de diabète.
- Il favorise un indice de masse corporelle plus bas. Si vous êtes très sédentaire, marcher quotidiennement 2 000 pas supplémentaires est associé à un tour de taille inférieur de 2,8 cm.
- Il favorise un degré d'inflammation systémique plus bas, notamment chez les patients souffrant de maladies pulmonaires obstructives chroniques.
- Les personnes dont le nombre de pas par jour est égal ou supérieur à 5 000 ont un risque inférieur de syndrome métabolique.
- Faire 10 000 pas par jour favoriserait le maintien d'une saine densité osseuse, un atout pour prévenir l'ostéoporose.
- Les femmes dont le nombre de pas par jour est plus grand ou égal à 7 500 auraient un risque de dépression diminué de 50 % comparativement à celles qui en marchent moins de 5 000. Pour un même effet, le seuil à atteindre chez les hommes est de 12 500.

LA MARCHE : 10 FAÇONS DE PROFITER D'UN REMÈDE MIRACLE

COMME UN MÉDICAMENT ?

L'activité physique est-elle vraiment un remède qui rivalise avec les médicaments les plus efficaces ? Une équipe internationale de chercheurs dirigée par Huseyin Naci a répondu à la question, du moins dans un contexte de prévention des maladies du cœur. Les conclusions de l'étude sont étonnantes. Elles démontrent que les effets de l'activité physique seraient similaires ou supérieurs à ceux des médicaments lors de la rééducation après un AVC, du traitement de l'insuffisance cardiaque ainsi que pour la prévention du diabète et du risque de mort prématurée. Souvenez-vous que les effets des médicaments et de l'activité physique ne s'opposent pas ; ils sont plutôt complémentaires. L'élaboration d'un plan de traitement se fait en tenant compte de cette réalité, et c'est votre médecin que vous devez consulter pour obtenir des conseils spécifiques à votre état de santé. Cela dit, voici dix façons de profiter des bienfaits de l'activité physique en pratiquant la marche.

1. LA MARCHE DE PROXIMITÉ

DES MÉRITES SOUS-ESTIMÉS

La marche de proximité est une activité de faible intensité qui requiert peu d'énergie. Elle inclut tous les pas que vous effectuez à basse vitesse, dont les petits déplacements de la vie quotidienne qui n'augmentent pas votre fréquence respiratoire de façon significative.

Les mérites de la marche de proximité sont sous-estimés, comme si seuls les sports extrêmes et les performances record étaient bénéfiques. Pourtant, cette forme de marche est loin d'être inutile pour votre santé, et ce, peu importe votre condition physique ou le temps que vous consacrez à la pratique sportive. Elle entraîne notamment la contraction de centaines de muscles, la mobilisation de la plupart de vos articulations, l'activation de la circulation sanguine et la libération de myokines.

FAITES LE MÉNAGE !

Les personnes qui participent régulièrement aux travaux ménagers auraient un risque de cancer réduit de 16 %. Cette donnée illustre l'importance de la marche de proximité pour rester en santé. Souvenez-vous également que les activités de faible intensité favorisent une meilleure sensibilité à l'insuline et facilitent le métabolisme du glucose, des clés indispensables dans la prévention de plusieurs maladies. La marche de proximité a toutefois peu d'effet sur l'amélioration de vos capacités cardiorespiratoires et de votre force musculaire, exception faite des personnes dont la condition est fragile. Celles-ci peuvent d'ailleurs avoir recours à cette forme de marche pour augmenter graduellement leur dépense énergétique et prendre soin de leur santé.

Les personnes qui participent régulièrement aux travaux ménagers auraient un risque de cancer réduit de 16 %.

PRESQUE SANS EFFORT

La marche de proximité est l'antidote idéal aux effets négatifs de la position assise prolongée, car elle augmente presque sans

POUR UNE MEILLEURE POSTURE

La marche est un excellent moyen pour améliorer votre posture et augmenter l'endurance des muscles de votre tronc ; ces deux éléments vous sont d'ailleurs indispensables quand vous maintenez la position assise de façon prolongée. Voici 5 conseils à suivre à cet égard lorsque vous marchez.

> Gardez alignés votre tête, vos épaules et votre bassin. Cela réduit votre effort musculaire et favorise une meilleure position de votre centre de gravité.
> Expirez profondément, sans avancer la tête, toutes les 2 ou 3 minutes. Vous détendrez ainsi les muscles posturaux qui s'attachent à votre cage thoracique.
> Variez les vitesses de marche pour stimuler les muscles de votre dos et de votre abdomen. Les accélérations et les décélérations ont des effets bénéfiques sur la stabilisation de votre posture.
> Si vous marchez plus de 30 minutes, faites un exercice de souplesse pendant que vous marchez. Coudes tendus et mains jointes, levez les bras au-dessus de votre tête, puis expirez profondément. Répétez 3 fois. Pendant l'exercice, tenez-vous le plus droit possible, comme si vous étiez suspendu par un fil.
> Marchez au moins 4 fois par semaine durant un minimum de 20 minutes, ou moins si vous ressentez de la fatigue dans les muscles du dos ou du cou.

effort le nombre de pas que vous effectuez quotidiennement. Elle est omniprésente dès que vous abandonnez votre chaise pour vaquer à vos occupations. Voici quelques équivalences exprimées en nombre de pas par minute.

> Faire le lit = 45
> Cuisiner = 100
> Passer l'aspirateur = 120
> Tondre la pelouse = 140
> Déplacer le mobilier = 150
> Monter l'escalier avec les sacs d'épicerie = 180

2. LA MARCHE ACTIVE

AVEC OU SANS PITOU

La marche active possède les mêmes avantages que la marche de proximité en plus de prendre soin de vos capacités cardiorespiratoires. Sa vitesse est de 3 km/h à 5 km/h, ou un peu moins si vous marchez sur un terrain incliné. Cette forme de marche se pratique dans la vie de tous les jours et vous permet d'atteindre plus facilement les objectifs que vous vous êtes fixés en ce qui concerne le nombre de pas par jour. Elle contribue également à un sentiment de bien-être, particulièrement lorsque vous êtes en plein air. Elle inclut, entre autres, la marche de santé, la promenade avec le chien et les déplacements à pied que vous effectuez pour vous rendre au travail.

EN GROUPE

Plusieurs études ont démontré que les clubs de marche contribuent à une meilleure assiduité, ce qui maximise les effets bénéfiques de la marche sur la santé, notamment quant à la pression artérielle, l'obésité, le taux de cholestérol et le risque de dépression. L'union fait la force, diraient certains.

Les clubs de marche ont aussi l'avantage d'encourager la cohésion sociale et, pour certaines personnes, de générer un sentiment de sécurité durant des activités qui seraient plus difficiles à réaliser en solitaire. Les clubs de marche sont généralement animés par une personne expérimentée et s'adressent à toutes les catégories de marcheurs, que l'objectif principal

QUELS SONT VOS OBJECTIFS ?

Il existe plusieurs raisons de marcher régulièrement. Cochez les cases qui correspondent à vos objectifs et réévaluez ceux-ci périodiquement.

	Objectif principal	Objectif secondaire
Rester en santé		
Retrouver la santé		
Perdre du poids		
Maintenir une bonne capacité cardio-respiratoire (avoir plus de souffle)		
Préserver ma santé psychologique		
M'accorder du temps		
Me donner de l'énergie		
Réduire mon temps passé en position assise		
Diminuer l'utilisation de ma voiture		
Bouger plus souvent		
Autre		

soit d'encourager les performances sportives ou de tisser des liens sociaux.

3. LA MARCHE SPORTIVE

UN NET AVANTAGE

Vous croyez que la marche est une activité dont l'intensité est insuffisante pour rivaliser avec des sports en apparence plus exigeants ? La marche sportive vous convaincra du contraire, et vos capacités cardiovasculaires s'en porteront mieux si vous la pratiquez régulièrement. Sa vitesse est de 5 km/h à 7 km/h sur un terrain plat, ce qui revient à parcourir près de 2 km en un quart d'heure. Et en comparaison avec d'autres activités physiques qui incluent des sauts ou des accélérations rapides, les impacts sur les articulations pendant la marche sportive demeurent relativement faibles, ce qui représente un net avantage pour plusieurs personnes.

Une façon simple d'augmenter le niveau de difficulté est de transporter une charge. Répartissez-la uniformément sur votre corps pour la rapprocher de votre centre de gravité et éviter ainsi de forcer inutilement. Le sac à dos ou la courroie de taille sont de bonnes options pour y parvenir.

LA DERNIÈRE GOUTTE

L'hydratation est un élément à ne pas négliger lorsque vous pratiquez la marche sportive. Buvez régulièrement, avant d'avoir soif et par petites quantités, soit trois ou quatre gorgées à la fois. Soyez particulièrement vigilant si vous marchez en haute altitude sans y être acclimaté. Le rythme de votre respiration est alors modifié et il s'échappe par votre bouche une plus grande quantité de vapeur d'eau.

Les premiers signes de déshydratation sont :

> une sensation de soif ;
> des maux de tête ;

> un pouls accéléré ;
> des vertiges ;
> de la fatigue ;
> une baisse de la tension artérielle ;
> des nausées.

L'utilisation d'un sac d'hydratation vous permet de transporter une quantité d'eau suffisante de façon confortable. Celui-ci consiste en un réservoir d'eau malléable relié à un tube par lequel vous pouvez boire. Vous trouverez deux types de modèles : l'un est intégré à un sac à dos, et l'autre, amovible, peut être inséré dans un sac que vous possédez déjà.

9 PARAMÈTRES À CONSIDÉRER

Marcher jour après jour de la même façon et dans les mêmes conditions devient parfois monotone et risque de vous contraindre à une activité qui ne correspond plus à vos capacités ou à vos objectifs. Voici des paramètres avec lesquels vous pouvez jouer tour à tour pour moduler le niveau de difficulté de la marche (bien que les deux derniers éléments ne soient pas modifiables, ils doivent cependant être tenus en compte) :

> la vitesse ;
> la durée ;
> la longueur de vos pas ;
> votre cadence, soit le nombre de pas par minute ;
> la position de votre corps (marcher vers l'avant, sur le côté ou à reculons) ;
> les dénivellations ;
> le type de surface ;
> l'altitude ;
> la météo.

4 FORMES DE MARCHE SPORTIVE

- **La marche sportive sur terrain plat : elle se pratique principalement dans un cadre urbain, son itinéraire est improvisé et sa durée est variable.**
- **La marche sportive sur tapis roulant : on peut s'y adonner peu importe la saison et la météo. Elle vous offre des avantages que d'autres formes de marche n'ont pas, comme pouvoir ajuster la vitesse et l'inclinaison avec précision, utiliser les programmes d'entraînement du tableau d'affichage et avoir recours aux appuis latéraux.**
- **La randonnée pédestre : elle requiert une certaine préparation et des vêtements appropriés. Son itinéraire doit être planifié, que vous marchiez sur un sentier balisé ou non. La durée varie de quelques heures à plusieurs jours. Des bâtons sont parfois employés afin de faciliter l'ascension et la descente en montagne.**
- **Le trekking : il consiste en une randonnée en altitude et souvent loin du domicile. Sa durée est suffisamment longue pour prévoir minutieusement l'itinéraire, un lieu pour dormir et le nécessaire pour plusieurs repas. L'équipement inclut, entre autres, une tente, un matelas, des vêtements et des bâtons.**

4. LA MARCHE ATHLÉTIQUE

HAUT NIVEAU

Vous avez certainement déjà aperçu ces marcheurs qui se déhanchent pour accélérer le rythme de leurs pas durant un long parcours. Cette technique est celle de la marche athlétique. Qu'on ne s'y méprenne pas, elle est une discipline exigeante et elle constitue la forme de marche qui procure le plus de bienfaits cardiovasculaires. Sa vitesse moyenne va de 9 km/h à 12 km/h. Les athlètes de haut niveau atteignent même plus de 14 km/h. Aussi appelée marche rapide, elle est une discipline encadrée par l'Association internationale des fédérations d'athlétisme et fait l'objet de deux compétitions olympiques, soit le 20 km et le 50 km. Cette dernière épreuve est la plus longue des Jeux et dure au-delà de 4 heures. D'autres compétitions non olympiques ont lieu dans le monde, sur piste et sur route. Certaines sont d'ailleurs accessibles à tous, leur parcours se limitant parfois à quelques kilomètres.

ROULER LE BASSIN

La marche athlétique se distingue de la course à pied par deux particularités :

- au moins un pied doit être constamment en contact avec le sol ;
- la jambe d'appui doit demeurer tendue au moment où le talon touche le sol, jusqu'à ce que le pied franchisse la ligne médiane du corps.

Ces particularités techniques font en sorte que le bassin doive rouler de gauche à droite pour maximiser l'efficacité des pas, les mouvements du torse et des épaules agissant comme un contrepoids qui stabilise le centre de gravité.

On peut croire que la marche athlétique est stressante pour les articulations. Or, le taux de blessure est très bas. En effet, les jours d'entraînement perdus à cause d'une blessure seraient dix fois moins nombreux qu'en course à pied et le temps de convalescence, plus court.

5. L'ESCALIER

DES EFFETS ÉTONNANTS

Êtes-vous du type escalier ou ascenseur ? Durant le dernier mois, combien d'étages avez-vous montés en ayant recours à l'escalier ?

Les escaliers d'un immeuble sont surtout employés en situation d'urgence. Pourtant, ils sont un excellent prétexte pour que vous marchiez plus souvent et augmentiez votre niveau d'activité physique. Et le jeu en vaut la chandelle ! Monter l'escalier requiert près de dix fois la quantité d'énergie que vous dépensez au repos, soit autant sinon plus que la course à pied et l'aviron. Et bien que la descente exige deux fois moins d'énergie, elle sollicite vos muscles d'une façon qui est particulièrement bénéfique pour leur santé : la contraction excentrique. Celle-ci favoriserait en outre une meilleure sensibilité à l'insuline et une plus grande production de force, sans toutefois augmenter la perception de l'effort.

L'utilisation de l'escalier développe aussi vos capacités cardiovasculaires ainsi que les muscles les plus puissants de votre corps. Et comme si tout cela n'était pas suffisant, l'escalier pourrait également vous aider à terminer vos journées lorsque vous êtes en panne d'énergie. En effet, passer 10 minutes à monter l'escalier aurait un effet stimulant supérieur à 50 mg de caféine, soit l'équivalent d'un expresso. C'est ce qu'ont démontré des chercheurs américains du département de kinésiologie de l'Université de Géorgie dans une étude réalisée auprès de jeunes femmes de 18 à 23 ans.

Monter l'escalier requiert près de dix fois la quantité d'énergie que vous dépensez au repos, soit autant sinon plus que la course à pied et l'aviron.

CAFÉ

L'ART DE CONVAINCRE

Vous souhaitez inciter vos collègues à bouger davantage ? Voici des conseils pour qu'ils empruntent plus souvent l'escalier.

> Envoyez-leur, par courriel ou par texto, des rappels courts, motivants et convaincants.
> Dites-leur d'abord que monter l'escalier fait perdre du poids. Ce message est réducteur, mais il a été démontré que le mettre au premier plan donne plus de force à votre argumentaire.
> Insistez sur le fait qu'emprunter couramment l'escalier permet de gagner du temps, d'être plus en forme et de prendre soin de sa santé vasculaire.
> Installez des affiches près de la cage d'escalier et des ascenseurs. Cette façon de faire peut à elle seule augmenter l'utilisation de l'escalier jusqu'à 10 %. Les messages les plus efficaces seraient ceux qui emploient une

LES RECOMMANDATIONS DE L'ORGANISATION MONDIALE DE LA SANTÉ

L'Organisation mondiale de la santé recommande de pratiquer 150 minutes d'activité physique d'intensité modérée par semaine, ou au moins 75 minutes d'activité physique d'intensité soutenue, ou une combinaison équivalente. Pour pouvoir retirer des bienfaits supplémentaires quant à votre santé, vous pouvez jusqu'à doubler ces recommandations. Ne comptez cependant que les périodes d'au moins 10 minutes. Des exercices de renforcement faisant intervenir les principaux groupes musculaires devraient aussi être pratiqués au moins 2 jours par semaine.

diversité de formats et une combinaison de textes et d'images.

- Posez des bannières sur les contremarches de l'escalier.
- Améliorez l'éclairage dans la cage d'escalier, qui est rarement adéquat.
- Peinturez les portes de couleur vive.
- Redécorez la cage d'escalier pour la rendre plus attrayante. Poussez même l'audace en la transformant en galerie improvisée. Par exemple, accrochez-y des photos prises par vos collègues.

6. LA MICROCOURSE

LE MEILLEUR DES DEUX MONDES

La microcourse est une activité physique qui incorpore à la marche de brèves séquences de course. Il s'agit donc d'un entraînement par intervalles qui permet de combiner les avantages des deux activités. Vous brûlez ainsi plus de calories tout en améliorant vos capacités cardiovasculaires et votre puissance musculaire. La microcourse est également bénéfique pour vos os, dont la santé est principalement assurée par les contractions de vos muscles et les impacts au sol. Georgios Giarmatzis et son équipe de l'Université catholique de Louvain se sont d'ailleurs intéressés à ces effets positifs en quantifiant les forces d'impact qui s'exercent sur les hanches selon la vitesse des déplacements. Et les résultats sont impressionnants : ces forces équivaudraient à plus de cinq fois votre poids si vous marchez à 6 km/h, et jusqu'à dix fois votre poids lorsque vous courez à 12 km/h. Certains pourraient croire que de tels impacts sont dommageables pour le squelette. Or, c'est tout le contraire : ils lui permettent de se solidifier et ils favorisent une meilleure densité osseuse.

COURIR N'EST PAS MARCHER VITE

Pendant la microcourse, tenez compte des caractéristiques distinctes de la marche et de la course. Lorsque vous marchez, chaque pas est amorcé par l'attaque du talon, et le genou est tendu. Durant la course, c'est plutôt la plante du pied qui foule le sol pendant que votre genou demeure légèrement fléchi. Pour le reste, suivez votre intuition et souvenez-vous que la course n'est pas un exercice de saut en hauteur. Votre énergie doit vous propulser vers l'avant, et non vers le haut, pour prévenir le stress inutile sur vos articulations. Et contrairement à la marche, il n'y a pas de phase de double appui, mais plutôt un moment durant lequel votre poids ne repose plus sur vos articulations, comme si vous étiez brièvement en suspension dans les airs.

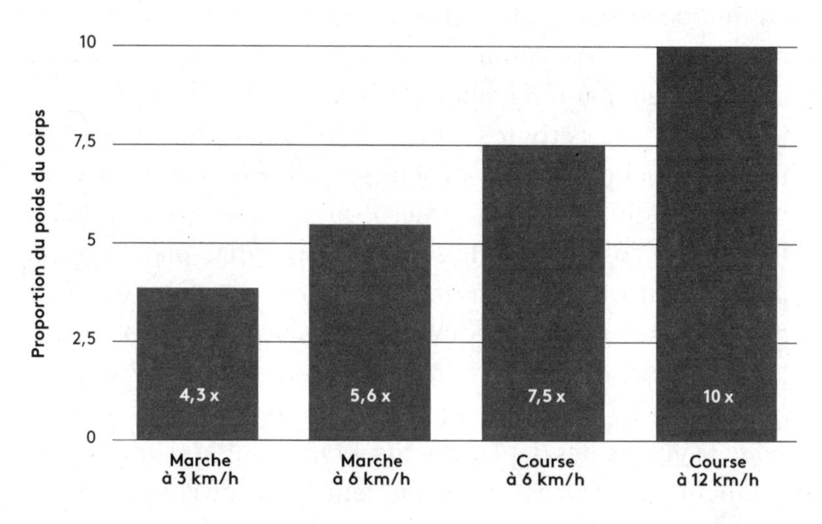

Charge sur la hanche selon l'activité

D'EXERCICES

MICROCOURSE

PROGRAMME SIMPLE

> **Période d'échauffement :** 5 minutes.
> **Activité :** 3 minutes de marche active, suivies de 20 secondes de course de faible intensité. Répétez cette séquence jusqu'à la fin de votre séance.
> **Fréquence :** 3 ou 4 fois par semaine.
> **Durée de chaque séance :** de 20 à 30 minutes.
> **Durée totale du programme :** de 8 à 10 semaines.
> **Particularité :** alternez un entraînement de marche sportive avec un entraînement de microcourse.

PROGRAMME COMPLEXE

> **Période d'échauffement :** 5 minutes.
> **Activité :** 2 minutes de marche sportive, suivies de 1 minute de course d'intensité modérée. Répétez cette séquence jusqu'à la fin de votre séance.
> **Fréquence :** 3 ou 4 fois par semaine.
> **Durée de chaque séance :** de 40 à 60 minutes.
> **Durée totale du programme :** de 8 à 10 semaines.
> **Particularités :** prenez au moins 1 journée de repos entre chaque entraînement.

7. LA MARCHE NORDIQUE

LA NAISSANCE D'UN SPORT

La marche nordique n'existe que depuis la fin des années 1990, du moins dans sa configuration actuelle. Les premières formes de cette activité ont toutefois vu le jour au milieu du siècle passé, en Finlande, alors que des adeptes de ski de fond réfléchissaient à l'idée de poursuivre leur entraînement durant la saison estivale, mais sans les skis. Ils ont ainsi modifié les bâtons pour en faire des outils de propulsion plutôt que de glisse. Puis la technique d'entraînement est devenue, au fil des années, une activité à part entière qui ne ressemble à aucun autre sport et qui est pratiquée aujourd'hui par des millions de personnes dans le monde.

Les amateurs de marche nordique préfèrent généralement s'y adonner en plein air, bien qu'elle se pratique aussi à l'intérieur. Toutes les surfaces s'y prêtent, comme le béton, la pelouse, le gravier, l'asphalte et la neige. Voici quelques-uns de ses avantages par rapport à la marche libre.

> Elle fait appel à un nombre de muscles beaucoup plus grand, comme les triceps et les pectoraux, en raison de l'utilisation des bâtons.
> Elle entraîne une dépense énergétique plus élevée.
> Elle réduit le stress sur les articulations des membres inférieurs, un atout indéniable en présence d'obésité ou de problèmes articulaires comme l'arthrite ou l'arthrose.
> Elle stimule plus efficacement la respiration grâce aux mouvements des bras.
> Elle est associée à une diminution de l'indice de masse corporelle et du pourcentage de gras, et ce, particulièrement chez les personnes sédentaires.
> Elle peut corriger une boiterie dans certaines conditions et améliorer l'équilibre.

MÊME PAS BESOIN DE NEIGE !

LE SECRET EST DANS LES BÂTONS

Les bâtons utilisés en marche nordique n'ont pas la même utilité que ceux employés en randonnée pédestre ou en trekking. Jamais vous ne les piquez devant vous. Ils ne vous aident donc pas à gravir une pente; leur rôle est plutôt de vous servir d'appui lors de la poussée, comme en ski de fond. Cela vous permet d'augmenter votre distance de marche pour un effort équivalent.

Il existe trois types de bâtons: fixes, ajustables et télescopiques. Ces derniers sont plus pratiques et se transportent plus facilement, bien qu'ils soient moins stables que les autres modèles. Voici des conseils quant au choix et à l'utilisation des bâtons.

- Optez pour des modèles spécialement conçus pour la marche nordique. Les bâtons de trekking ou de randonnée ne sont pas adéquats.
- Leur longueur idéale se calcule en multipliant votre taille par 0,7. Si les bâtons sont trop courts ou trop longs, l'aide à la propulsion sera inefficace et votre posture risque de vous causer des problèmes, comme des tensions musculaires ou une blessure.
- Ceux en carbone, ou faits d'un alliage qui en contient, sont plus coûteux. Ils absorbent toutefois mieux les vibrations, ce qui protège les articulations de vos mains, de vos coudes et de vos épaules.
- La dragonne est la sangle qui relie votre main et votre poignet au bâton. Elle doit épouser la forme de votre paume afin de vous offrir un appui adéquat lors de la poussée.
- La poignée doit être confortable et vous procurer suffisamment de stabilité lorsque vous piquez le bâton au sol. Elle est fabriquée à partir de matériaux comme le liège, la mousse ou le plastique. Celui-ci est plus abordable, mais son confort est inférieur.
- L'embout des bâtons doit être changé selon le type de surface. Les formes et les matériaux diffèrent pour chacun d'eux.

SOULAGER LES TENSIONS ENTRE LES OMOPLATES

Vous travaillez devant un ordinateur ? Vous êtes souvent incommodé par des tensions au dos ou entre les omoplates ? La marche nordique est peut-être votre planche de salut. Piotr Kocur et son équipe de l'Université d'éducation physique de Poznań, en Pologne, ont démontré qu'elle favorisait une meilleure mobilité du haut du corps et qu'elle diminuait les tensions aux muscles du cou et des épaules, comme le trapèze, le sous-épineux et le grand dorsal. Le programme d'entraînement effectué n'avait rien de sorcier : les participants pratiquaient la marche nordique à raison de 3 séances hebdomadaires de 60 minutes, échelonnées sur 12 semaines.

D'autres études ont été publiées quant aux bienfaits de la marche nordique sur la santé articulaire. Chez les personnes souffrant d'arthrose à la hanche, cette activité soulagerait la douleur et améliorerait les performances fonctionnelles, et même certains aspects de la santé mentale. Ces effets seraient supérieurs et persisteraient dans le temps de façon plus marquée que ceux générés par un programme d'exercices traditionnels fait à la maison ou dans un centre de conditionnement physique.

LA MALADIE DE PARKINSON

Plusieurs chercheurs ont étudié les bienfaits qu'apporte la marche nordique chez les personnes atteintes de la maladie de Parkinson, et des nouvelles encourageantes se dégagent de leurs conclusions. La marche nordique améliorerait leur équilibre, leur posture, leur endurance à la marche ainsi que la mobilité de leurs bras. La vitesse et la synchronisation de leurs mouvements seraient également avantagées, ce qui ferait en sorte que leurs gestes soient moins hésitants et plus précis. Cela faciliterait en outre la réalisation des tâches quotidiennes et l'orientation spatiotemporelle.

La marche nordique n'aurait toutefois pas d'effets sur le stade de la maladie, et il n'a pas été démontré que les bienfaits sont durables chez les personnes atteintes. Il est donc recommandé de pratiquer cette forme de marche assidûment et à une fréquence minimale de deux fois par semaine, ou selon la tolérance de la personne. L'accord du médecin est requis.

PRENEZ SOIN DE VOTRE TUYAUTERIE

Un tuyau de plomberie peut finir par se boucher lorsqu'il est encrassé. Si cela se produit pour un des vaisseaux sanguins de vos membres inférieurs, vous êtes à risque de claudication intermittente. Il s'agit d'une maladie du système vasculaire relativement fréquente qui perturbe la circulation sanguine en raison d'une obstruction ou d'une réduction du diamètre interne d'un ou de plusieurs vaisseaux. L'athérosclérose en

6 CONSEILS POUR PRATIQUER LA MARCHE NORDIQUE

- **Maintenez une posture droite et ne fixez pas vos pieds ou les bâtons. Regardez le sol si vous le souhaitez, mais à plusieurs mètres devant vous.**
- **Évitez de voûter les épaules, bien qu'il soit normal que votre corps soit légèrement incliné vers l'avant.**
- **Gardez votre genou fléchi de quelques degrés lorsque votre pied foule le sol.**
- **Lorsque vous piquez le bâton, votre main doit être fermée. Elle s'ouvre et se détend pendant la poussée, alors que votre poignet prend appui sur la dragonne.**
- **Le bâton doit être piqué de façon synchronisée au mouvement de la jambe du côté opposé.**
- **Dans une vue de profil, votre bâton devrait être planté plus ou moins entre les deux pieds.**

est la principale cause et l'un des symptômes est une moins grande tolérance à la marche due à la douleur.

Chez les personnes qui souffrent de claudication intermittente, la marche nordique diminuerait les symptômes et améliorerait la distance maximale de marche. Elle apporterait aussi des bienfaits sur la circulation sanguine qui a lieu à l'intérieur des muscles.

La marche nordique entraîne une dépense énergétique plus élevée que la marche libre et réduit le stress sur les articulations des membres inférieurs.

Les avantages qu'entraîne la marche nordique sur le système cardiovasculaire ne concernent pas que la claudication intermittente, mais également les maladies du cœur. Par exemple, le risque d'être atteint de l'une d'entre elles serait réduit de près de 40 % chez les personnes à risque qui pratiquent la marche nordique au moins deux fois par semaine. Cette donnée a été démontrée dans une étude espagnole dirigée par Cristina Vehí de l'Université de Barcelone. Les conclusions ont également permis de mettre en lumière une augmentation de la qualité de vie des marcheurs. Dans un contexte de maladies cardiovasculaires, la marche nordique doit être réalisée avec l'accord du médecin, et la supervision par un professionnel de la santé est fortement suggérée.

8. LA MARCHE AQUATIQUE

DES PROPRIÉTÉS PHYSIQUES INÉGALÉES

La marche aquatique consiste à marcher dans la piscine, que vos pieds soient en contact avec le fond ou que vous soyez en suspension grâce à des flotteurs. Il s'agit d'une activité physique qui vous permet de profiter des propriétés physiques de l'eau. En effet, lorsque vous êtes immergé, votre corps réagit comme si vous étiez sur une autre planète. C'est entre autres parce que l'eau est approximativement huit cents fois plus dense que l'air, ce qui transforme ses propriétés physiques, en commençant par sa viscosité, sa flottabilité et sa force d'entraînement, en

10 BIENFAITS DE LA MARCHE AQUATIQUE

- **Elle améliore votre posture.**
- **Elle augmente vos capacités cardiovasculaires.**
- **Elle accroît votre force musculaire et votre endurance à la marche.**
- **Elle favorise une meilleure mobilité des membres inférieurs.**
- **Elle contribue à restaurer votre équilibre.**
- **Elle peut vous aider à corriger une boiterie.**
- **Elle optimise vos performances sportives.**
- **Elle stimule les abdominaux et les muscles du dos, particulièrement lorsque vous multipliez les changements de direction.**
- **Elle assouplit vos articulations lorsque la température de l'eau est relativement élevée.**
- **Elle favorise une plus grande assiduité à l'activité physique par le simple plaisir d'être dans l'eau.**

avantages thérapeutiques. Ainsi, l'immersion ralentit vos déplacements vers l'avant de 70 %, et de 57 % lorsque vous vous déplacez sur le côté. Les sauts s'effectuent aussi différemment puisque l'eau diminue le poids qui repose sur votre colonne vertébrale et vos membres inférieurs.

> **L'eau est approximativement huit cents fois plus dense que l'air, ce qui transforme ses propriétés physiques en avantages thérapeutiques.**

La pression hydrostatique est un des atouts les plus sous-estimés que vous procure un environnement aquatique, que ce soit pendant la marche ou des exercices faits dans l'eau. Elle consiste en une pression uniforme exercée par l'eau sur la partie immergée de votre corps. Véritable thérapie, elle active la circulation sanguine, atténue le gonflement articulaire et réduit les tensions sur vos articulations, un peu comme si un bandage élastique les recouvrait.

L'EAU POUR RÉÉDUQUER

La marche aquatique est un bon outil de rééducation après une blessure, comme une entorse ou une fracture, un alitement prolongé, une hospitalisation ou une chirurgie. En effet, les mouvements dans l'eau s'exécutant plus lentement, ils sont donc plus faciles à amorcer et à contrôler. Souvenez-vous toutefois que l'environnement aquatique n'a pas d'effet protecteur sur les stress horizontaux. Par exemple, si vous cessez brusquement de marcher, la force d'entraînement de l'eau poussera votre tronc vers l'avant, ce qui augmentera le stress sur certaines articulations, entre autres au genou et au bas du dos. La rééducation dans l'eau devrait donc être réalisée très prudemment dans certaines circonstances, comme une hernie discale ou une atteinte au ligament croisé antérieur.

L'EAU : UN REMÈDE À PLUSIEURS MAUX

> Difficultés de sommeil : la marche et les exercices dans l'eau auraient des bienfaits sur votre sommeil, notamment en réduisant le temps que vous prenez pour vous endormir. Ils contribueraient aussi à un sommeil plus réparateur.
> Arthrose : un entraînement intensif de marche et d'exercices dans l'eau augmenterait la vitesse de marche des personnes souffrant d'arthrose, et ce, même douze mois après avoir arrêté l'entraînement.
> Fibromyalgie : les exercices en piscine seraient plus efficaces que des exercices de souplesse ou d'aérobie faits à l'extérieur de l'eau pour améliorer la qualité de vie et les capacités physiques des personnes souffrant de fibromyalgie.
> AVC : l'environnement aquatique facilite la correction d'une asymétrie de mouvements chez certaines personnes qui ont subi un AVC. La faible vitesse d'exécution des mouvements attribuable aux effets de l'eau contribuerait aux progrès observés. Chez les hémiplégiques, l'ajout d'un poids à la cheville du côté atteint faciliterait la réalisation des exercices. L'approbation du médecin est requise.
> Sclérose en plaques : les exercices faits dans l'eau préserveraient la qualité de vie des personnes atteintes de sclérose en plaques en favorisant une plus grande mobilité et en diminuant la douleur, la fatigue et les incapacités physiques.

Il existe plusieurs façons de pratiquer la marche aquatique dans un contexte de rééducation, que vous ayez les pieds au sol ou que vous portiez une ceinture de flottaison. Le tapis roulant submergé est aussi une option intéressante, quoique moins connue. Il est notamment utilisé après une blessure sportive pour maintenir la capacité cardiorespiratoire tout en minimisant le stress sur les articulations. Ce type de tapis roulant est également employé pour les blessés de la moelle épinière, les personnes atteintes d'arthrose et celles ayant subi un AVC.

L'EAU POUR SOULAGER

Parfois, on ne sait plus où donner de la tête pour en finir avec la douleur, qu'elle se loge au dos ou à une articulation périphérique. Je recommande souvent à mes patients d'aller régulièrement faire un tour à la piscine et d'y pratiquer la marche aquatique, puisqu'elle est efficace pour calmer certaines douleurs. Les propriétés mécaniques de l'eau peuvent être à l'origine du soulagement, mais celui-ci peut aussi se manifester en raison des bienfaits qu'apporte un programme de marche aquatique, comme une augmentation de la force musculaire, une meilleure mobilité ou une perte de poids. Les personnes atteintes d'arthrite, de fibromyalgie et les femmes enceintes sont particulièrement avantagées par les effets antalgiques de l'eau.

COMMENT ADAPTER LE NIVEAU DE DIFFICULTÉ

Les propriétés de l'eau offrent des possibilités inégalées pour adapter le niveau de difficulté d'une activité physique. Voici quatre paramètres à moduler pour y arriver.

- La vitesse des mouvements : plus vous bougez rapidement, plus votre effort musculaire et cardiovasculaire est élevé.
- Le niveau d'immersion : plus vous êtes immergé, moins vous êtes pesant. Par exemple, lorsque le niveau d'eau atteint votre poitrine, le poids sur vos articulations

est réduit de moitié, et du tiers si vous êtes immergé jusqu'aux hanches.

> La flottabilité : une ceinture de flottaison atténue certaines difficultés d'un exercice, tandis qu'elles sont augmentées par des poids ou d'autres types d'accessoires qui s'attachent aux poignets ou aux chevilles.

> La surface à déplacer : l'environnement aquatique modifie la difficulté de vos mouvements en fonction de la surface de votre corps qui fait face à l'eau. Plus elle est grande, plus vous stimulez votre musculature, notamment celle des abdominaux et des petits muscles du dos. Par exemple, le fait de vous déplacer sur le côté entraîne une plus faible résistance que si vous marchez de face, la profondeur de votre tronc étant plus petite que sa largeur. Pour les mêmes raisons, il est plus exigeant de marcher les bras en croix que s'ils sont appuyés contre vous. Le recours à des accessoires comme une palette ou une planche de flottaison permet aussi d'augmenter la surface à déplacer.

6 CHOSES À SAVOIR AVANT DE COMMENCER LA MARCHE AQUATIQUE

> Dosez vos efforts en tenant compte de la durée de l'activité, de son intensité, de sa fréquence et des périodes de repos.
> Aucune séance ne doit augmenter les douleurs ou les symptômes.
> Si vous ressentez de la douleur, l'amplitude et la vitesse des mouvements devraient être réduites. Si la douleur persiste, cessez l'activité et consultez votre médecin ou votre physiothérapeute.
> La température de l'eau doit être confortable, sans être trop chaude.
> Profitez des différents avantages de la marche aquatique en utilisant des accessoires, comme des flotteurs, une planche, une ceinture ou une veste de flottaison.
> Répétez les séances à raison de 3 à 5 fois par semaine, durant au moins 2 mois.

PROGRAMME D'EXERCICES

MARCHE AQUATIQUE

CAPACITÉ CARDIORESPIRATOIRE

> **Période d'échauffement de 5 minutes :** 2 minutes de marche à basse vitesse, suivies de 30 secondes de marche à reculons à basse vitesse.

> **Activité :** de 10 à 30 sauts sur place, 2 minutes de marche à vitesse moyenne ou élevée, 1 minute de marche à reculons à vitesse modérée, 1 minute de marche à basse vitesse. Répétez cette séquence jusqu'à la fin de votre séance.

> **Fréquence :** 3 ou 4 fois par semaine.

> **Durée de chaque séance :** de 40 à 60 minutes.

> **Durée totale du programme :** de 8 à 10 semaines.

PRÉVENTION DE LA DOULEUR AU DOS

> **Précaution :** abstenez-vous de suivre ce programme si vous souffrez de douleur au dos.

> **Période d'échauffement de 5 minutes :** 4 minutes de marche à basse vitesse, suivies de 1 minute de marche à reculons à basse vitesse.

> **Activité :** marchez vers l'avant à vitesse modérée pendant 3 minutes, puis déplacez-vous sur le côté droit pendant 30 secondes, sur le côté gauche pendant 30 secondes, marchez à reculons pendant 1 minute, puis marchez vers l'avant à basse vitesse. Répétez cette séquence jusqu'à la fin de votre séance.

> **Fréquence :** 3 ou 4 fois par semaine.

> **Durée de chaque séance :** de 20 à 30 minutes.

> **Durée totale du programme :** de 8 à 10 semaines.

9. LA MARCHE À RECULONS

RIEN DE SAUGRENU

Si un jour vous êtes dans un centre de conditionnement physique et vous constatez que tout le monde marche à reculons sur son tapis roulant, dos au tableau d'affichage, vous vous poserez peut-être des questions sur l'état d'esprit de ces personnes. Pourtant, l'idée d'utiliser la marche arrière n'est pas aussi saugrenue qu'elle paraît.

Vous serez sans doute étonné de savoir que vous employez régulièrement la marche à reculons, entre autres en déplaçant un meuble, en effectuant quelques pas vers l'arrière dans un endroit exigu ou en tirant vers vous la poignée d'une porte que vous souhaitez ouvrir. Mais la marche à reculons n'a pas que des attraits utilitaires. De nombreuses études scientifiques ont démontré qu'elle possède aussi des vertus thérapeutiques. En effet, elle est désormais reconnue comme une technique d'entraînement à part entière et un outil de rééducation efficace. Les bienfaits de la marche à reculons sont d'ailleurs observés chez les personnes en santé, mais également dans un contexte de maladie.

Voici quelques-uns de ces bienfaits.

- Elle améliore l'équilibre et le contrôle postural.
- Elle occasionne moins de stress sur les genoux que la marche vers l'avant.
- Elle diminue l'effort généré par le mollet, un avantage lors de la reprise de l'activité après une blessure à la cheville ou à la jambe.
- Elle contribue à la rééducation des personnes ayant subi un AVC.

UN EXERCICE DE DÉCONSTRUCTION

Récitez à voix haute l'alphabet en sens inverse en commençant par la lettre Z et en conservant un rythme constant. Reprenez du début dès qu'une hésitation dure plus de trois secondes.

C'est un peu plus simple que ça, en fait...

Peu de personnes réussissent cet exercice de déconstruction. Tout est plus lent, désynchronisé, et il est impossible d'utiliser les automatismes acquis au fil du temps. C'est exactement ce qui se passe lorsque vous marchez à reculons. Votre cerveau réagit comme si vous vous éloigniez de quelque chose, ce qui bouscule vos habitudes. La déconstruction s'avère cependant un exercice qui apporte de nombreux bienfaits cognitifs et physiques. L'effort cardiovasculaire exigé est d'ailleurs plus grand que pendant la marche vers l'avant.

SANS LES YEUX

La complexité de la marche à reculons réside dans l'impossibilité d'avoir recours à votre vision pour ajuster votre équilibre et planifier vos mouvements. Vous n'obtenez donc aucune information visuelle quant à l'environnement vers lequel vous vous déplacez. Ce sont vos repères articulaires qui doivent prendre la relève, et les stimuler confère à la marche à reculons ses vertus thérapeutiques. En effet, elle améliore vos

TESTEZ VOTRE ÉQUILIBRE

Dans un environnement sécuritaire, marchez à reculons durant 15 secondes. Vous réussissez le test si vous parcourez une distance supérieure à 8 mètres, mais vous êtes à risque de chute si vous avez été incapable de franchir plus de 3 mètres.

La marche à reculons est un outil incontournable pour tester l'équilibre. Cette façon de vous déplacer ralentit vos mouvements, raccourcit vos pas et met à contribution l'ensemble de vos réactions posturales. Ces caractéristiques tendent d'ailleurs à s'accentuer avec l'âge, mais pas lors de la marche vers l'avant, du moins chez des sujets en santé. Notez que ce test n'a pas de valeur diagnostique.

performances sportives et vous protège des blessures parce qu'elle favorise des réactions posturales plus vives, depuis les orteils jusqu'au tronc. Et le fait que la pointe du pied touche le sol en premier, plutôt que le talon, n'est pas anodin. Cela permet aux muscles du pied et des orteils de s'activer plus rapidement, soit dès qu'il y a contact avec le sol.

UN DÉFICIT D'ATTENTION

On doit se concentrer davantage lorsqu'on marche à reculons. Il n'est donc pas étonnant que ce mode de déplacement ait des effets sur l'attention. Mais peut-il venir en aide aux enfants ayant un déficit de l'attention ? Il semblerait que oui. Une équipe de chercheurs italiens dirigée par Davide Viggiano a demandé à des jeunes d'environ 12 ans de suivre un programme d'exercices durant deux mois. Celui-ci consistait en 3 séances hebdomadaires de 10 minutes de marche à reculons. Les résultats de cette étude ont révélé que les enfants amélioraient jusqu'à 49 % leurs performances aux tests d'attention. Même si les conclusions des chercheurs ne peuvent pas être transposées à grande échelle en raison de la taille réduite de l'échantillon, il est intéressant de constater qu'une simple intervention peu coûteuse et sans effets secondaires comme la marche à reculons pourrait apporter des bienfaits cognitifs à des enfants qui en ont bien besoin.

La marche à reculons est désormais reconnue comme une technique d'entraînement à part entière et un outil de rééducation efficace.

8 FAÇONS DE PRATIQUER LA MARCHE À RECULONS

> Pieds nus : cela favorise la contraction des petits muscles des pieds, comme ceux de l'arche plantaire.
> Sur un terrain en pente : cette façon de faire contribue à un meilleur équilibre.
> Les yeux fermés, du moins pour quelques pas : cela stimule votre proprioception, ce sixième sens qui vous permet de connaître la position exacte de votre corps.
> En croisant les bras et en plaçant les mains sur les épaules : vos réactions posturales en seront améliorées.
> En tenant un verre d'eau dans chaque main : cela stimule votre équilibre et prévient la surutilisation des membres supérieurs.
> En parlant à quelqu'un ou en récitant un texte à voix haute : une double tâche augmente considérablement le niveau de difficulté.
> Combinez la marche à reculons à la microcourse, à la marche nordique ou à la marche sur tapis roulant en ayant recours aux appuis latéraux.
> Intégrez la marche à reculons à un entraînement de course à pied, de boxe ou de tout autre sport afin d'améliorer vos performances.

Mise en garde : ne pratiquez pas la marche à reculons si vous ne pouvez pas vous tenir sur un pied pendant 5 secondes en gardant les yeux fermés.

10. L'ELLIPTIQUE

UNE VERSION HYBRIDE

Quelqu'un a un jour eu l'idée de créer un nouvel appareil d'entraînement en s'inspirant de sports en apparence fort différents, soit la marche, la course à pied, le vélo, le ski de fond et le rameur. Le résultat : l'elliptique (ou vélo elliptique), un appareil hybride qui occasionne une dépense énergétique comparable à celle de la course à pied sur tapis roulant. De conception récente, l'elliptique se pratique debout, et sa configuration peut légèrement varier d'une marque à l'autre. L'élément commun aux divers modèles demeure la roue d'inertie qui se trouve à l'arrière de l'appareil et à laquelle sont installées deux pédales surdimensionnées.

> Les principaux avantages de l'elliptique consistent en la contraction simultanée de plusieurs muscles du tronc, des bras et des jambes ainsi qu'en la réduction des impacts sur vos articulations.

Les principaux avantages de l'appareil consistent en la contraction simultanée de plusieurs muscles du tronc, des bras et des jambes ainsi qu'en la réduction des impacts sur les articulations, un atout majeur après avoir subi une blessure comme une entorse à la cheville. En effet, la charge moyenne sur vos pieds serait d'environ 73 % du poids de votre corps.

Souvenez-vous que les effets biomécaniques de l'elliptique sont étroitement liés aux paramètres d'utilisation, comme la vitesse et la position des mains. De plus, la position du corps est plus inclinée sur cet appareil que pendant la marche ou la course à pied, ce qui peut être inconfortable pour certaines personnes.

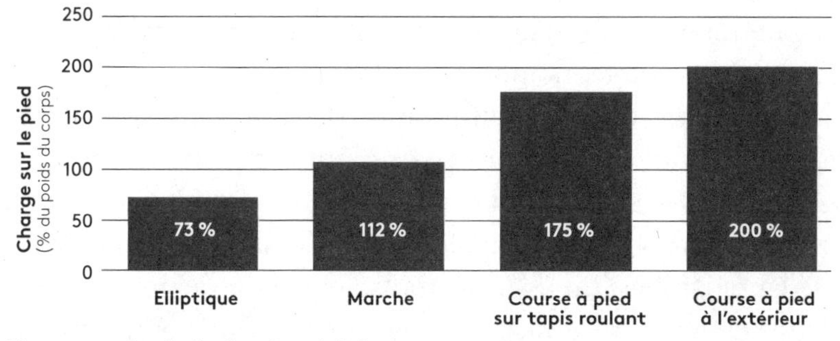

Charge sur le pied selon l'activité

ÉLOIGNER LE DIABÈTE ET LE SYNDROME MÉTABOLIQUE

Voici une autre preuve que l'activité physique apporte des bienfaits majeurs sur la santé des personnes diabétiques. Cette fois, c'est une équipe de chercheurs montréalais qui l'a établie dans une étude pilote. Les participants à cette expérience étaient diabétiques ou prédiabétiques et utilisaient l'elliptique pendant un entraînement par intervalles de haute intensité à raison de 3 fois par semaine pendant 3 mois. Voici les bienfaits récoltés :

- un taux inférieur de glucose dans le sang ;
- une diminution du tour de taille ;
- une réduction de tissu adipeux aux bras et aux jambes ;
- une amélioration de la tension artérielle ;
- une fréquence cardiaque plus basse au repos ;
- une réduction du risque de syndrome métabolique.

UN APPAREIL CONTRE LA FATIGUE

L'elliptique est un outil thérapeutique avantageux pour les personnes aux prises avec des problèmes neurologiques, notamment en favorisant une meilleure coordination et en diminuant la sensation de fatigue. Une étude réalisée par Jessie Huisinga et son équipe l'a démontré chez des personnes souffrant de sclérose en plaques. L'entraînement consistait à 15 séances de 30 minutes échelonnées sur 6 semaines. Des pauses étaient allouées selon les besoins de chacun, et les participants haussaient le niveau de difficulté de l'exercice en augmentant au fil des semaines la résistance de l'appareil ou la vitesse de leurs mouvements.

Selon les auteurs, la diminution de la sensation de fatigue s'expliquerait notamment par une plus grande forme physique, mais aussi parce que les efforts des participants étaient réduits en raison d'une meilleure coordination de leurs bras et de leurs jambes. En d'autres mots, leurs contractions musculaires étaient plus efficaces et devaient être soutenues moins longtemps. Un fait intéressant à noter : l'utilisation régulière de l'elliptique améliorait aussi la qualité de vie des participants.

PROGRAMME D'EXERCICES

PROGRAMME D'ELLIPTIQUE PAR INTERVALLES

> **Période d'échauffement** : 5 minutes.
> **Activité** : 30 secondes d'elliptique à intensité élevée, suivies de 90 secondes d'elliptique à intensité faible ou modérée. Répétez cette séquence jusqu'à la fin de votre séance.
> **Fréquence** : 3 ou 4 fois par semaine.
> **Durée de chaque séance** : de 30 à 40 minutes.
> **Durée totale du programme** : de 8 à 10 semaines.

POUR TERMINER

En 2009, un sondage effectué auprès de 300 000 personnes a démontré que seulement 8 % d'entre elles marchaient plus de 30 minutes par jour.

Devant des statistiques comme celle-là, je n'ai pu rester indifférent. Et plutôt que de manifester dans la rue, pancarte à la main, je me suis dit qu'il serait plus convaincant d'écrire un livre sur le sujet. Éclairé par de récentes données scientifiques et fort de mon expérience de physiothérapeute, je vous ai présenté des informations, mais surtout des solutions, pour contrer les effets dommageables de la sédentarité et du manque d'activité physique. La plupart de ces propositions sont facilement accessibles. Elles vous permettent de réveiller vos muscles et apportent des bienfaits inestimables à votre santé, la marche étant l'activité la plus simple à pratiquer. Et si vous n'en raffolez pas, faites du vélo ou de la natation, escaladez des montagnes, suivez des cours de trampoline ou de tissu aérien, mais pour l'amour, redécouvrez le plaisir de bouger !

Si vous souhaitez consulter les références scientifiques de ce livre, rendez-vous sur mon site web : **www.denisfortier.ca**. Vous y trouverez également plusieurs articles, des photos et des vidéos sur la sédentarité, l'activité physique et le soulagement de la douleur.

J'espère sincèrement que, dans quelques années, nous aurons réussi à réduire nos comportements sédentaires et à nous libérer de notre dépendance à la position assise. En plus des efforts individuels, des mesures devront être prises à grande échelle pour contrer l'omniprésence de la chaise, notamment dans les lieux d'enseignement, qui ne devraient plus être perçus comme des bancs d'école mais comme des aires d'apprentissage où l'on valorise l'activité physique.

Pour terminer, je remercie toute l'équipe de Groupe Librex, sans qui ce livre n'aurait jamais vu le jour. Un merci tout particulier à mon éditrice Marie-Eve Gélinas, au talentueux dessinateur Cyril Doisneau pour ses illustrations ainsi qu'à Denis Gingras pour sa relecture scientifique attentive. Merci aussi à mes éditeurs français (Marabout), chinois (EIP) et taïwanais (Taiya), qui font résonner mes écrits au-delà des frontières du Québec.

Au plaisir de prendre de vos nouvelles, en personne ou sur les réseaux sociaux.

Denis